Azouz Begag
Salam Ouessant

Présentation, notes, questions et après-texte établis par

Nadia Ziane-Bruneel
professeur de lettres

MAGNARD

Sommaire

PRÉSENTATION

Sociologue de formation, Azouz Begag utilise toutes les cordes de son arc d'homme de lettres (romancier, nouvelliste, scénariste, essayiste) pour raconter, expliquer, dénoncer, transmettre, l'histoire, la mémoire des immigrés algériens et de leur descendance en France.

Azouz Begag est né à Villeurbanne, le 5 février 1957. Les premières années de sa vie se déroulent dans les bidonvilles du Chaâba. Ses parents, qui ont immigré en France en 1948, l'encouragent sur la voie des études. Son père, Bouzid Begag, lui répète durant son enfance : « Moi je travaille à l'usine, ton unique devoir est d'apprendre à l'école. Tu dois être le meilleur des meilleurs. » En 1984, Azouz Begag soutient sa thèse de doctorat sur le thème « l'immigré et sa ville » à l'université Lyon II. Aujourd'hui, il est chargé de recherche en socio-économie urbaine au CNRS (université Paris IV), et professeur invité à Cornell University, aux États-Unis. Ses travaux, notamment *La Révolte des lascars contre l'oubli à Vaulx-en-Velin* (1990) ou *Rites sacrificiels des jeunes dans les quartiers en difficulté* (1991), témoignent de son intérêt pour les jeunes issus de l'immigration.

Il ne faut cependant pas oublier qu'Azouz Begag est avant tout un passionné de littérature. Camus, Hemingway, ou encore Stefan Sweig ont forgé son goût, durant l'adolescence. En 1986, il se fait connaître du grand public avec son premier roman, *Le Gone du Chaâba,* qui recevra le prix Sorcières en 1987 et sera adapté au cinéma par Christophe Ruggia en 1997. Dès lors, l'auteur explore, dans un style imagé, les difficultés auxquelles sont confrontés les jeunes d'origine maghrébine pris entre deux cultures, comme le révèle le roman (1991). Ses œuvres littéraires donnent corps et voix aux populations pauvres des cités (*Les Chiens aussi*, 1996), aux victimes de dictature (*Le Passeport*, 2000), aux sans-papiers (*Ahmed de Bourgogne*, 2001), ou encore aux jeunes des quartiers défavorisés (*Dis Oualla !*, 2001).

Avec les essais, Azouz Begag utilise une autre corde de son arc pour questionner le sujet de l'intégration (*Bouger la banlieue*, 2012) ou pour dénoncer l'instrumentalisation politique du thème de l'immigration (*C'est quand il y en a beaucoup…*, 2011).

Son engagement humaniste passe également par l'écriture du scénario de la BD *Leçons coloniales* (2012) qui traduit la volonté de transmettre l'Histoire, et notamment celle des massacres de Sétif en 1945. C'est encore la transmission de la mémoire qui l'incite à participer, en tant que consultant, au documentaire de Yamina Benguigui, *Mémoires d'immigrés, l'héritage maghrébin* (1998).

Par ailleurs, nombre de ses romans sont destinés à un jeune public (*Théorème de Mamadou* (2002), *Quand on est mort, c'est pour toute la vie* (1997), ou *Ma maman est devenue une étoile* (1996)). En effet, l'auteur considère que « c'est un privilège de pouvoir toucher la jeunesse ». Aujourd'hui, c'est la vie de l'émir Abd el-Kader, figure emblématique de l'Histoire de l'Algérie, que l'auteur s'apprête à raconter sous la forme d'une BD, afin de sensibiliser, un public jeune.

Homme de conviction, il accepte la charge de ministre délégué à la Promotion de l'égalité des chances dans le gouvernement de Jacques Chirac (UMP) de juin 2005 à avril 2007.

Azouz Begag
Salam[1] Ouessant

---

1. Au revoir (langue arabe).

Nous étions près d'accoster sur Ouessant[1]. Depuis les crêtes des falaises grises taillées en dents de requin, de vastes oiseaux guettaient l'entrée au port du *Fromveur*. Le paysage semblait asphyxié par des coulées blafardes qui griffaient les rochers et
5 s'accrochaient lamentablement à leurs sombres cavités. L'air mouillé exhalait une forte odeur d'humidité, charriant celles des embruns[2], du varech[3] et du mazout.

À bord, l'agitation rituelle de l'arrivée avait commencé depuis plusieurs minutes. L'inquiétude me gagnait progressivement et,
10 pour lui échapper, je fixais sans ciller les marins agrippés à leurs solides cordes tressées, faisant et défaisant des nœuds pour se préparer à amarrer la bête métallique au quai. Leurs voix sèches montaient au-dessus des rares passagers comme de petits ballons, puis se pulvérisaient dans l'air. Soudain, de nouveau, la
15 lumière bouleversa ses éclairages, c'était la énième fois depuis que nous avions quitté Brest[4], mélangeant ses couleurs et ses humeurs, confondant le ciel et la mer comme pour brouiller nos repères et nous perdre dans ses entrelacs. Au même moment, sur la terre ferme, un goéland en profita pour changer
20 de poste d'observation ; après quelques battements d'ailes, il se posa sur un anneau d'amarrage. La mouette qu'il délogea fila vers le large où l'horizon s'était dilué dans le brouillard.

Depuis le pont du *Fromveur*, d'un œil, je surveillais l'île

---

1. Île du département du Finistère (en Bretagne).
2. Pluie fine provenant des vagues qui se brisent.
3. Algues brunes de diverses espèces.
4. Port du Finistère.

mystérieuse qui s'avançait vers nous et, de l'autre, ma fille aînée
25 Sofia qui faisait grise mine à côté de sa sœur Zola. J'avais si peur
qu'elles soient déçues que je n'osais faire le moindre commen-
taire. Brusquement, Sofia a laissé choir son sac à dos à ses pieds.

« J'aurais préféré aller en Algérie. »

Elle a ajouté qu'une copine de sa classe y était actuellement
30 en vacances avec sa famille, elle lui avait envoyé une superbe
carte postale qui donnait envie d'y plonger, tant les paysages
étaient beaux.

Et le soleil radieux.

L'Algérie ?

35 Sur le coup, pris de court, j'ai failli monter sur mes grands
chevaux et crier à tue-tête pour défendre mon choix d'Ouessant. Quoi ? L'Algérie ? Mais tu ne sais pas de quoi tu parles,
ma fille ! Dans la fournaise de l'été africain, les températures
dépassent les quarante degrés et on ne peut pas mettre le nez
40 dehors entre neuf heures et dix-sept heures, la chaleur accable,
les rayons du soleil fusillent à bout portant tous les audacieux
qui posent le pied sur un trottoir de la ville et même les figuiers
demandent la clémence au ciel en feu. Dehors, dans le paysage
calciné, les ruisseaux aussi sont brûlés et comme suspendus en
45 l'air.

Mes filles se seraient vite ennuyées à l'intérieur de la maison
vide que mon père avait construite du temps où ses bras avaient
du répondant. Il n'y avait pas d'air conditionné, pas d'eau courante, pas de télévision. Nous aurions fini par nous quereller.
50 Il n'en était pas question. De plus, lors de mon dernier séjour

il y a vingt ans, j'avais remarqué que les carreaux de faïence sur la terrasse avaient succombé aux assauts des rayons incendiaires et, saisis à vif, s'étaient mués en vaguelettes d'argile desséchée. L'image avait de quoi soulever le cœur. Je revois encore mon père en peine lever la tête au ciel et prier le soleil d'arrêter les frais, cette villa du bled lui avait déjà coûté une fortune, il aurait pu en construire deux à Lyon avec l'argent qu'elle avait englouti, s'il n'avait décidé de rentrer définitivement au pays.

Hélas, le soleil ne faisait pas de sentiment. Dès l'aube du lendemain, il revenait à la charge, rayonnant, et le mercure explosait, avec son cortège de dégâts. Les gens étaient bien obligés de s'adapter à la guerre. Aux premières lueurs, dans la cour intérieure de la maison, des femmes à peine réveillées lavaient à la hâte le linge dans des bassines en plastique, profitant d'un créneau horaire où l'eau parvenait aux robinets, puis elles faisaient des provisions en remplissant des seaux pour tenir jusqu'au jour suivant. Les odeurs de transpiration étaient insoutenables. On ne prenait pas de douche. On économisait l'eau comme de l'or, même aux toilettes aux effluves pestilentiels, où l'on ne disposait pas de papier, mais seulement d'un goutte-à-goutte au robinet. Puis, de dix heures du matin à cinq heures de l'après-midi, plus personne ne mettait le nez dehors. La chaleur était impitoyable. Pas âme qui vive sur le bitume fumant. Les trottoirs cramaient. Alors on faisait des siestes interminables. Mes filles n'auraient pas pu supporter la fournaise. Elles n'auraient pas tenu. Au bout du deuxième jour, elles m'auraient supplié de les ramener chez leur mère, dans la

société française aseptisée[1], le juge des affaires familiales aurait décrété que j'étais incapable de m'occuper des vacances de mes
80 filles et je me serais retrouvé l'âme serrée entre les quatre murs de mon appartement.

Je ne voulais pas les emmener là-bas. J'avais l'appréhension qu'elles aient une mauvaise image du pays de mes parents et de mes ancêtres. Je voulais garder le souvenir intact dans ma
85 mémoire et, de temps en temps, le colorer en leur narrant de beaux récits sur cette terre où, un jour, elles iraient peut-être rechercher les cendres de leurs origines.

---

1. Qui qualifie un milieu protégé, à l'abri des risques.

L'Algérie ? Elles ne savaient pas de quoi elles parlaient. Et moi non plus, à vrai dire. Cela faisait plus de vingt ans que je n'y avais pas remis les pieds. Je n'aurais pas été un bon guide. Je n'aurais plus rien reconnu. La population avait doublé en nombre. Les immeubles HLM avaient balafré[1] le paysage urbain. Et puis j'avais changé, aussi. Depuis longtemps déjà, ma peau de soyeux lyonnais[2] ne supportait plus les agressions du soleil et ses radiations, mon nez de *gaouri*[3] s'offusquait des effluences[4] excessives des rues pauvres et crasseuses, mes oreilles s'irritaient du vacarme de la ville populeuse, et l'été, je préférais désormais les plages de la Côte d'Azur à celles d'Azemmour[5].

Sur le pont du bateau, au lieu de mon réquisitoire[6] contre le pays originel, j'ai bredouillé à Sofia « Je sais. » Ces deux petits mots m'ont fait l'effet d'un électrochoc. Un afflux de larmes faisait le forcing dans ma gorge. Je consolidais mes digues en avalant la salive. Tandis que sa sœur essayait de savoir ce que signifiait mon laconique[7] « Je sais », Zola a demandé sur un ton d'infinie désolation pourquoi on était venus *là* et qui avait eu l'idée de *ça*, en détachant bien les mots, afin que le responsable de cette expédition catastrophe se désignât.

---

1. Défiguré.
2. Le narrateur habite Lyon qui, autrefois, était la ville où l'on fabriquait la soie.
3. Désigne un Français ou un Européen.
4. Odeurs.
5. Port situé sur les rives de la Méditerranée au Maroc.
6. Discours accusateur.
7. Concis et bref.

J'ai tenté une esquive à l'arraché : « L'idée d'*Eusa* ? », profitant de l'occasion pour informer mes filles qu'*Enez Eusa* était le nom breton de l'île qui nous accueillait.

On ne peut pas dire que cette information touristique sur
₂₅ l'idiome[1] du coin ait soulevé leur enthousiasme.

« Et alors ? » a demandé l'une. J'ai recommencé à me ronger les ongles. Une goutte de sang a perlé sous mon majeur. La douleur tétanisait[2] peu à peu ma main. Sous mes cheveux, dans mon carburateur[3], les questions ont afflué. Elles ont fait mon-
₃₀ ter la pression. Nom d'un chien, me maudissais-je, pourquoi avais-je donc échoué sur cette île paumée ? Mais pourquoi ? Je cherchais à remonter la chaîne de causalité[4] pour savoir à quel moment le destin m'avait joué un tour et où j'avais manqué de lucidité.

₃₅ Alors, j'ai revu en gros plan la petite annonce du *Progrès de Lyon* où j'avais fini par dénicher cette maison en Bretagne. Auparavant, des jours durant, j'avais recherché sur internet une location côté Méditerranée, mais sans aucune conviction. J'imaginais déjà les bouchons sur l'autoroute du soleil, les files
₄₀ d'attente devant des échoppes exhalant des relents de friture, la cohue ruisselante sur le chemin des plages et des supermarchés, les automobilistes exaspérés crachant du carbone et houspillant leurs enfants avachis sur les sièges arrière. J'avais même

---

1. Expression locale.
2. Paralysait.
3. Au sens propre, appareil présent dans un moteur à explosion. Dans le texte : « mon cerveau ».
4. Des causes.

considéré l'option Club Med et sa « formule spéciale familles décomposées » avec garantie de recomposition sur place, mais en haute saison les prix étaient exorbitants[1]. Un ami, lui aussi divorcé, m'avait alors recommandé le *Club Ahmed*, l'autre club, disait-il en plaisantant, une espèce de hard discounter[2] de vacances qui proposait un nouveau concept défiant toute concurrence dans l'industrie du loisir. Tous ces mots barbares m'étaient insoutenables. J'étais au bout du rouleau. J'allais renoncer à tout, les vacances, mes filles, le goût du bonheur, quand soudain, un beau jour, la grâce, l'ouverture, la lumière. Alors que j'allais refermer le journal après des heures de vaines explorations, j'étais tombé sur ce petit mot duveteux et lumineux, « Ouessant ». Suivi de deux autres, « calme et tranquillité ». Ils m'avaient enchanté.

J'avais dit : « C'est là. C'est ça. »

Tout excité, j'avais aussitôt téléphoné à mes filles qui étaient chez leur mère pour leur annoncer la bonne nouvelle. Et il m'avait semblé qu'elles étaient ravies. Au téléphone. Mais j'aurais dû me méfier de ces sentiments convoyés par télécommunication.

Ce n'était pas tout. Sur l'annonce, j'avais remarqué que le mot « tranquillité » avait été amputé d'un *l*. J'ai foncé à tire-d'aile dans la coquille, me disant qu'il y avait là un signe qui ne trompait pas : mon destin me faisait un appel de phares, il

---

1. Excessifs, démesurés.
2. Chaîne pratiquant des prix extrêmement compétitifs.

avait une offre à me faire. J'avais envoyé illico un chèque par la poste pour régler la location à la propriétaire, madame Legris, dont l'adresse figurait sur l'annonce. L'affaire était entendue. Je respirais de nouveau. C'était un sérieux souci de moins dans mon cerveau. Je pouvais de nouveau me consacrer à l'écriture, à la lecture, l'esprit apaisé. Trois jours plus tard, par retour de courrier, la Bretonne me remerciait pour le règlement et m'informait qu'elle n'aurait, hélas, pas l'occasion de me voir pour des raisons de santé, mais que tout était prévu à mon arrivée, les clés seraient déposées sous le paillasson de l'entrée, près d'un épais massif d'hortensias bleu ciel qu'on ne pouvait pas manquer, bon séjour et j'espère que le soleil sera au rendez-vous de vos vacances chez nous, avait-elle ajouté en post-scriptum.

Là encore, j'aurais dû me méfier de ce post-scriptum, mais c'est facile à dire après coup. Maintenant, je ne pouvais plus reculer. Les vacances n'avaient pas commencé que j'avais déjà d'amers regrets de me retrouver là avec mes filles. J'ai regardé autour de moi, comme pour chercher un soutien, un signe divin. Il n'y avait pas de quoi être optimiste. Ici, l'aube n'aurait jamais les doigts de rose, à en juger par la gueule du ciel qui semblait aller à un enterrement. La mer hostile paraissait sans fond, aucune tache de bleu ne perçait. Jamais on ne s'y baignerait. Et dans ses abysses[1], les poissons devaient être monstrueux, ils donnaient froid dans le dos rien qu'à les imaginer attendant leur proie touristique. À l'évidence, l'été ensoleillé ne passait

---

1. Fonds sous-marins très profonds.

pas par ce cul-de-sac où nous arrivions en villégiature[1]. J'étais mal.

« Tu te sens pas bien ? a demandé Sofia.

– Si, pourquoi ? »

Elle trouvait que j'avais l'air bizarre, j'étais blanchâtre, ou blafard, une tête de cumulo-nimbus[2]. J'ai passé bêtement la main sur mon visage, pour faire le constat. Puis j'ai respiré un grand bol d'air salé. J'étais déchiré, mais étrangement je ressentais, très loin en moi, un drôle d'écho, comme si sur ce bout de terre égaré, mon *ici* et mon *là-bas* se réconciliaient. J'avais déjà vécu ce type de retrouvailles le jour où j'avais lu l'annonce « Ouessant, calme, tranquillité » : les villes de Lorient et de Douarnenez m'étaient venues à l'esprit, si familières. J'ai regardé mes filles. Comment pouvais-je partager avec elles des émotions aussi confuses ? Déjà que j'étais un père atypique à leur goût, je ne voulais pas aggraver mon cas. Alors, sur la pointe des pieds, je me suis esquivé vers l'arrière du bateau d'où j'ai lancé à la traîne un long regard dans le turbulent sillage. Je voulais voir le chemin parcouru depuis mes premiers voyages au pays d'origine, mon mariage, mon divorce, la mort de mon frère…

On ne distinguait plus aucune côte. Ma mémoire me faisait défaut. Au loin, Molène[3] n'était plus qu'un souvenir brumeux. On était coupés du monde ; n'était-ce pas ce que je désirais au

---

1. Pour les vacances.
2. En météorologie, un nuage opaque, sombre et important, souvent à l'origine des orages.
3. Autre île bretonne.

fond, cette césure[1] ? Ici, j'allais me forcer à regarder le bon côté des choses, *profiter de la vie*, même si je n'avais jamais réussi à savoir ce que cette injonction commune signifiait concrè-
120 tement : manger, boire, faire l'amour ? S'empiffrer, s'enivrer, baiser ? Se goinfrer, se bourrer, copuler ?

Après quelques minutes de fuite, pêcheur de bonheur bredouille, j'ai rembobiné mon regard et je suis rentré au chaud, près de ma source vitale : mes deux filles. Il faisait frisquet. J'ai
125 remonté le col de mon blouson d'été.

« Ça va ? a fait Sofia.

— Oui. C'est beau, par ici. »

Elle a espéré qu'il n'allait pas pleuvoir.

C'était une prière.
130 Presque un avertissement.

Une semonce[2].

À la proue, *Enez Eusa* ouvrait ses angles et, furtivement, l'Algérie émergea des nuages. Elle me submergea, avec le souvenir de mon frère Malik. Une petite brise venue du sud amena des
135 souvenirs des années 60, quand les premiers bateaux commençaient à naviguer sur mes rêves d'enfance, le *Ville-de-Marseille* et le *Ville-d'Alger* faisant le pont entre ici et là-bas. Bateaux-navettes des mois d'août qui nous ramenaient chez nous, là où tous les gens avaient la même tête que nous.
140 Emporté par la mélancolie, je me suis rapproché de mes filles et j'ai dit à la petite :

---

1. Rupture importante.
2. Un avertissement.

« Donne-moi ta main. »

Elle a riposté :

« Pour quoi faire ?

45 – Pour la tenir, c'est tout. »

J'ai souri. Elle a voulu savoir pourquoi. Je n'ai rien dit, sauf qu'à partir de maintenant j'allais l'appeler *madame Pourquoi*. Mais en vérité sa question m'avait rappelé le jour où j'avais demandé en mariage sa mère, mon ex-épouse, à son père.

50 J'avais annoncé tout tremblant, engoncé[1] dans un costume du dimanche : Je suis venu demander la main de votre fille ! Et l'homme, qui avait d'abord cru à une plaisanterie, avait asséné : Pour quoi faire ? Je n'avais pas su quoi répondre. Pour quoi faire ? La question ne m'était jamais venue à l'esprit. Voyant

55 mon embarras, il en avait rajouté, moquant ma timidité, me proposant même de me faire un prix de gros si je prenais les deux mains de sa fille. Je ne comprenais rien. Après un moment de flottement, finalement nous avions ri, il plaisantait, et m'avait fait gentiment comprendre que c'était à sa fille

60 de choisir sa vie et son mari, pas à lui. J'avais pensé qu'il avait terminé sa phrase et j'étais absolument d'accord avec lui, mais il avait conclu « pas comme chez les *melons*[2] », où les hommes disposaient à leur guise du sort des femmes.

J'avais ri dehors et péri dedans. Comme me l'avait appris

65 mon père dans le temps.

---

1. Gêné et mal à l'aise.
2. Surnom raciste désigant une personne originaire du Maghreb.

Les *melons*, c'étaient les gens de ma tribu. On nous appelait ainsi : les cousins de l'ayatollah Khomeiny[1], ce Père Noël iranien en robe noire exilé à cette époque en France. Régulièrement, lorsque le dimanche nous nous rencontrions chez le beau-père,
170 il racontait les aventures des *fellouzes*[2] dans les Aurès ou en Kabylie. Le film sur sa guerre d'Algérie repassait en boucle dans son cerveau depuis 1962[3]. Il croyait que c'était le mien aussi. Il se trompait. Mais je n'en faisais pas un sujet de discorde[4]. Je n'avais jamais combattu contre personne à cette époque-là. Pas
175 encore. J'aimais sa fille. Elle m'avait dit un jour qu'elle aimerait que nous fassions un bout de chemin ensemble. L'expression m'avait marqué. C'était ainsi qu'elle voyait la vie : en tronçons.

Comme je n'avais aucune expérience, que mes parents ne m'avaient rien appris sur la vie et les choses de l'amour taboues
180 dans notre tribu, je n'ai rien dit. Elle en a conclu que qui ne dit mot consent. Alors nous sommes entrés sur l'autoroute. Dès les premiers tronçons, nous avons conçu deux merveilleuses filles. Puis nous avons acheté des vélos, un Renault Espace, fait un emprunt à la Caisse d'Épargne pour acheter un appartement et
185 l'été nous partions en vacances sur l'île d'Yeu ou Belle-Île avec des amis. Mais j'ai toujours résisté au chien à la maison.

---

1. Dignitaire religieux musulman iranien. Guide spirituel de la révolution islamique en Iran réfugié en France.
2. Dans l'argot militaire colonial, désigne les combattants algériens qui ont lutté pour l'indépendance de leur pays.
3. Fin de la guerre entre l'Algérie et la France et début de l'indépendance de l'Algérie.
4. Dispute.

Sur le pont du bateau, Zola a planté son regard dans le mien. Elle avait froid. Elle préférait garder ses mains dans ses poches, si je n'y voyais pas d'offense. J'ai dit non, pas de problème – j'étais encore en train de penser à mon couple qui avait fini en eau de boudin –, j'ai colmaté[1] une larme de colère qui fuitait d'un œil.

Elle m'a ensuite balancé :

« Pourquoi tu veux m'appeler *madame Pourquoi* ?

– Oh non ! a soudain crié sa sœur. J'en étais sûre. »

Brusquement, la pluie. Elle s'est mise à tomber en fléchettes, piquante, pénétrante, repoussante. Ça avait l'air d'une attaque aérienne, un Pearl Harbor[2] breton. Cette fois, j'étais défait. Une artère s'est bouchée dans mon cœur. Une arête s'est plantée dans ma langue. Mon moral est descendu d'un cran. J'ai essayé de le remonter, je me suis dit, attends, attends, ça doit être un piège, une simulation ouessantine pour sélectionner les bons touristes et annoncer qu'ici, ce n'est pas le soleil de la Corse qu'il faut venir chercher, c'est une autre beauté à mériter, plus intime. Ici, sur Ouessant, les nuages seront toujours en embuscade et la lumière en demi-teinte, mais derrière, après les herses de pluie, pour les plus téméraires, il y a les joyaux cachés.

Je m'encourageais comme je pouvais avec les slogans de l'office du tourisme du coin.

« Manquait plus que ça ! » a commenté Zola en posant son sac sur sa tête.

---

1. Empêché de couler.
2. Base navale américaine à Hawaii, attaquée par l'aviation japonaise le sept décembre 1941.

Autour de nous, les passagers se sont échangé des sourires attristés.

« Ce sont des ondées passagères », a voulu me rassurer une
215 rouquine emmitouflée dans un ciré qui avait la forme d'un sac à patates. De sa tête enfouie dans un bonnet de laine polaire, tombait en cascade une crinière rousse qui dissimulait en partie son visage.

Passagères ? J'en doutais, et mes filles plus que moi. Elles ne
220 goûtaient pas du tout l'accueil et encore moins l'ingérence de la rouquine dans nos affaires familiales.

« Ouais… ça commence bien, a soupiré Zola. Partout dans le monde, y a du soleil, il n'y a qu'ici qu'il pleut et c'est ici qu'on va passer nos vacances ! Je voudrais bien savoir pourquoi. »
225 J'ai sauté sur l'occasion :

« Tu vois bien !

– Quoi ?

– Tu demandes toujours pourquoi ! »

Elle a haussé les épaules. Quelqu'un portait le mauvais œil
230 parmi nous. Elle m'a concocté un regard de juge des affaires familiales guettant un coupable, mais je feignais d'être absorbé par les préparatifs du débarquement pour ne pas prêter le flanc aux récriminations. Et Dieu sait s'il y en avait !

Nous n'avions pas de parapluies,
235 même pas de cirés,
ni de bottes pour la gadoue,
de céréales pour le petit déjeuner,

de séchoir pour leurs brushings,
de dvd pour les journées enfermées
40 qui s'annonçaient nombreuses.

Elles m'avaient fait une check-list complète depuis le départ
de Brest et notre enfoncement dans la brume d'ouest. C'était
vrai, on avait apporté dans nos bagages juste le minimum vital
pour la survie sur cette île abandonnée, mais pour moi ça allait
45 bien comme ça, il pouvait pleuvoir, neiger, grêler, venter, mes
deux trésors étaient avec moi, c'était si rare, et cette rareté suffi-
sait à mon bonheur de père solitaire. Tous les jours, j'allais leur
dire combien elles comptaient pour moi. Dans chaque phrase
que je prononcerais, j'allais sertir un petit mot d'amour pour
50 rattraper le retard que j'avais accumulé ces années.

Pour moi, c'était ça, profiter de la vie. Ne plus avoir peur
d'aimer.

« On dirait que tu pleures », m'a dit Zola en me tapotant la
main.

55 J'ai passé de nouveau un doigt sous mes yeux pour voir. Je
me suis défendu :

« Non, c'est de la pluie. »

Elle a dit :

« Tu veux prendre ma main ? »

60 Elle m'a tué.

Elle m'a fixé droit dans les yeux. Elle voulait que je sois courageux. Elle voulait que son père affronte la réalité en face. Elle
était invraisemblable. Et moi, déboussolé. Elle a dit « Tiens. »

J'ai essuyé mon visage avec le mouchoir en papier qu'elle me
265 tendait et ce n'était pas la peine d'en dire plus, parce que cet
enfant qui était une part de moi me lisait à livre ouvert.

Elle avait oublié de dire quelque chose :

« Il paraît que les rouquines, elles puent ! »

J'ai tourné la tête sur la gauche. Je suis tombé sur un vieux
270 Breton aux traits tendus qui ne cessait de m'adresser des regards
obliques depuis un moment. Il s'est mis à me renifler comme
un douanier suspicieux. Peut-être pour reconnaître les noms
des vents du sud qui m'avaient poussé sur sa terre. Sans même
me dire bonjour, il m'a demandé si c'était mon premier séjour
275 dans son pays. J'ai dit oui. Il a fait, et vous êtes d'où ? J'ai
répondu de Lyon. Il a dit oui, mais avant ? J'ai dit avant, rien.
Il n'y avait pas d'avant. J'étais un spermatozoïde.

Il s'est tu. Les deux mains rivées sur le métal du bastingage,
il s'est remis à lorgner son bout de terre qui venait sur nous
280 comme une marée. Sa tête a dodeliné légèrement. Il voulait
une réponse à sa question, rien de plus, et voilà qu'il se retrou-
vait face à un cas social qui faisait des embrouilles. L'espèce
humaine devait lui paraître trop complexe depuis que les zones
urbaines et les banlieues avaient remplacé les terres agricoles
285 et les terroirs, depuis que les paysans étaient devenus citadins,
depuis que des gens d'ailleurs s'étaient mêlés aux gens d'ici.

Je me suis senti petit. J'avais presque envie de lui demander
pardon. Mais il valait mieux le silence, sinon j'allais m'enfoncer.

Son visage ressemblait à un coquillage ridé. Il avait des yeux
290 bleu pâle enfoncés très près l'un de l'autre. Son nez tombait

sur la lèvre comme un crochet. Mon père avait les mêmes rides
que lui. Pas les mêmes yeux. Les siens étaient noirs comme
des olives lustrées et d'une vivacité caractéristique des gens des
hauts plateaux sétifiens. Enfant, quand il me tenait dans ses
bras, je m'amusais souvent à explorer les constellations de son
regard en écartant les paupières, puis je parcourais ses traits du
bout des doigts, palpais son front et ses sillons que j'aimais plier
pour les rapprocher, cherchant les fils électriques qui passaient
là-dedans et allaient allumer les ampoules de son cerveau. Tout
en parcourant les méandres de son visage, je lui demandais de
conter ce qu'il y avait avant, là-bas, comment était sa vie quand
il était petit, s'il y avait des coquelicots, de la neige à Noël, des
cigognes et des goélands.

Il fredonnait alors des mots en souriant. C'était une feinte
pour se dérober et ne pas m'effrayer. Il voulait m'éviter de deve-
nir trop vieux, trop tôt, comme lui, et de rater l'arrivée du printemps. Sauf une fois où il a tenté une escapade : il avait décidé
de se mettre à table. Il ouvrait enfin la première page du livre de
son histoire. Mes yeux étaient braqués sur ses lèvres. Il a adressé
quelques formules d'introduction à Dieu et aux ancêtres de
notre tribu, puis il a commencé par se frotter les mains comme
pour des ablutions[1] avant la prière : « Bon, puisque tu insistes,
je vais te raconter quelques histoires de mon enfance, mais il
y a tant de choses à dire que je ne sais par où commencer…
Il était une fois… il était une fois… » Il avait des problèmes

---

1. Dans la religion musulmane, lavage rituel de purification avant la prière.

d'allumage. J'ai plaqué ma main sur son front pour activer les fils électriques. « Allez vas-y, papa. » Alors il a psalmodié une énième prière au nom de Dieu Père et Miséricordieux, a répété « il était une fois », ça faisait donc déjà trois fois de suite, et n'a
320 jamais commencé. Jamais rien dit.

Je le connaissais. J'avais essayé d'ouvrir ses lèvres pour libérer les mots coincés dans le palais, mais comme il conversait avec Dieu, j'ai lâché l'affaire. Cependant, j'avais eu le temps de voir qu'en lui, la mélancolie silencieuse avait fait un pacte pour
325 laisser la chance à mon bonheur. J'ai tout compris. J'ai noté sur mon carnet :

les vieux qui ont vécu,
se taisent,
pour laisser des rêves
330 aux enfants
qui n'ont encore rien vu.
Ils pleurent la nuit
pour ne gêner personne.

« Pourquoi tu ne dis plus rien ? a demandé Zola. À quoi tu
335 penses, encore ? »

Elle a dit que je bougeais sans cesse, même sur la mer. Même la nuit. Et je parlais aussi. J'ai répondu que c'était la faute de mon père. De lui, j'ai hérité la maladie de l'immigration et son effet secondaire, le monologue.
340 « Mais qu'est-ce que tu racontes ? » s'inquiéta-t-elle.

Qu'est-ce que je raconte ? J'ai envie de raconter que je me revois sur le pont du *Ville-de-Marseille* qui nous ramène chez nous avec ma famille. J'ai envie de décrire les lèvres de mon père qui forment des mots qui ne viennent pas..., les odeurs
45 maternelles qui m'ont réveillé au petit jour de ce grand jour. Celle de l'eau de Cologne dont quelques femmes se sont frictionnées, celle du café et des embruns. La longue surface des eaux, opaque et lisse, que les premières lueurs de l'aube commencent à nacrer. Mon père s'appelle John Wayne[1]. Il trépigne
50 d'impatience, le regard tendu vers l'horizon courbé de la terre rêvée. Il n'ose même plus cligner des yeux pour ne pas rater son émergence. Le travailleur exilé boutonne sa veste de costume. Le manœuvre du bâtiment s'est paré en dimanche. Devant sa femme et ses enfants, il est fier. Et puis il faut faire honneur à
55 ceux restés au village après l'indépendance[2]. Lorsqu'il va poser le pied sur la terre du retour, il va essayer de faire croire que la France c'est l'Eldorado, qu'il en revient brodé d'or et cousu d'argent. Il fera semblant de connaître personnellement le bonheur, dira qu'il le tutoie. Il redresse l'échine. L'arrivée au
60 foyer lui tire de fines larmes dans lesquelles se reflète le soleil. John Wayne n'a fermé aucune de ses olives lustrées de toute la nuit. Le pauvre a veillé sur nos valises saucissonnées avec de la ficelle. Il me sourit, l'air de dire « Tu as vu, on l'a fait, hein ! On rentre chez nous. » La brise s'est levée. Des silhouettes de

---

1. John Wayne (1907-1979) acteur, réalisateur et producteur américain, très célèbre pour ses westerns.
2. Voir note p. 20.

365 brume commencent à danser sur la surface des eaux. Accoudé au bastingage, je respire à fond. Soudain, quelqu'un crie :

« Terre ! Terre ! »

Le commandant du bateau fait hurler sa sirène pour officialiser l'arrivée, des femmes lancent des youyous[1], la main 370 en clapet sur leur bouche, les enfants sautent de joie, certains grimpent sur des valises pour entrevoir l'horizon de l'espérance.

Les regards des vieux se tendent, des larmes roulent sur les crêtes nasales, mon frère Malik me fait la courte échelle, il veut que je voie le prem's les collines qui se profilent au loin, 375 maquillées d'éclats d'or, de lancées d'azur et même de touches roses.

« C'est bien là ? Tu es sûr ? » a fait Sofia en fixant le quai d'Ouessant.

Je feins de m'intéresser au petit marin qui s'avance vers la 380 proue, une grosse corde en main qu'il tient comme un lasso. La brume monte toujours. Je cherche des souvenirs heureux dans ma mémoire, l'odeur des jours sucrés du temps du *Ville-de-Marseille*. J'ai du mal à enchaîner. La haine a une haleine plus forte que celle du bonheur. Elle écrabouille les jours heureux 385 qui devraient rester éternels dans les souvenirs parce qu'ils donnent le goût de vivre.

---

1. Longs cris aigus et modulés poussés par les femmes du Maghreb lors de mariages ou de deuils.

Sur le bitume mouillé du port d'Ouessant, des parapluies se déploient comme des nénuphars multicolores. Ils transforment le quai en marché africain mais, sur le marché africain, rien ne bouge. Personne ne parle.

5 « J'aime pas quand t'es comme ça ! Dis-moi à quoi tu penses, s'il te plaît, me supplie Zola en me voyant flotter.

– À toi, ma fille chérie.

– N'importe quoi !

– Excuse-moi, tu as raison. Je pensais à l'adresse de la maison
10 de location, je ne sais plus où je l'ai cachée. »

Nous allons poser le pied à terre dans quelques minutes. Des frissons me parcourent. Je ne veux plus être là, ces vacances vont mal tourner, la justice de France va s'en mêler, j'ai tout à perdre, cette obsession est une épine qui s'enfonce dans mon
15 corps. Je veux rentrer chez moi. Chez nous. Mais je ne sais même plus où c'est, ici, là-bas, à bâbord, tribord[1], au nord, au sud. D'une main vigoureuse, j'agrippe une rampe pour m'éviter de chavirer. Je dis au bon Dieu, vas-y, maintenant, je t'en prie, aide-moi. Brusquement, au moment où mes filles s'apprêtent
20 à rentrer dans la cabine pour échapper à une nouvelle trombe, les blocs nuageux se fendent et, par un trou inattendu, un rayon de soleil oblique descend droit sur le quai et l'embrase. Un bout de ciel pur éclaire le monde. Alors le *Fromveur* donne de la corne. Le commandant de bord, depuis sa cabine, nous
25 indique du doigt le rayon de soleil qui lui paraît de bon augure.

---

1. Du côté gauche d'un navire quand, situé à bord, on regarde vers la proue. Tribord : du côté droit d'un navire.

Tout n'est pas perdu. Je remercie Dieu. Il faut que personne ne sache d'où vient ce miracle.

Des hommes d'équipage sont encore agrippés à leurs cordes tressées et à leurs nœuds. D'autres portent des marchandises qu'ils débarquent. Je leur adresse un sourire fraternel « *Salam oua rlikoum*[1] ! » Je me force à profiter de la vie. Allez, allez, faut pas se laisser attaquer par les méduses de la mélancolie. Je dois trouver de la ressource. Je respire encore un grand coup. Je soliloque[2] à haute voix, la Bretagne est une île et ses habitants des nomades comme ceux de ma tribu, je n'ai aucune raison d'avoir peur d'eux, au contraire, aux plis de leurs visages, on voit bien qu'ils savent ce que partir veut dire. Ils ont leur identité en poupe, prêts à l'abordage sur toutes les rives du monde.

J'aimais ces *calots*[3] fiers de leur port d'attache, mais qui, un jour, le cœur en canot, embarquaient sur des rafiots, pour s'en aller sans retour.

Bloquer la coulée mélancolique : c'est maintenant mon objectif. J'ai feint de m'enthousiasmer pour Ouessant et j'ai annoncé à mes filles qu'elles allaient se régaler avec le kouign aman[4] et le far bretons, elles allaient voir ça dans quelques minutes, à la première boulangerie où nous allions nous arrêter. Parole de père qui sait y faire !

Elles se sont regardées. Elles ont éclaté de rire, enfin.

---

1. Retranscription phonétique de salutations en langue arabe : « Que la paix soit sur vous. »
2. Discours que l'on s'adresse à soi-même.
3. Les calots sont, à l'origine, des couvre-chefs militaires de forme allongée. Dans le texte, ce mot désigne les marins.
4. Gâteau breton.

Sofia a dit qu'elle préférait le *khobz eddar*[1] de leur grand-mère. La petite Zola a précisé qu'*amane* ça voulait dire « eau » en kabyle.

J'ai demandé d'où elle connaissait ça. Elle a dit :

« Je le sais, c'est tout. »

J'ai compris que, dans mon dos, elle tirait à mon insu de l'eau au puits de leurs racines en extorquant souvent à ma mère des bribes d'enfance. Et elle était passée aux aveux, contrairement à mon défunt père parti en emportant avec lui toutes les valises ficelées de sa vie. J'en ai eu des frissons.

Puis mes deux amours ont décidé que, quelles que soient les mille et une façons de faire le pain ou les céréales, on est à Ouessant, on s'aime de tous nos cœurs, un point c'est tout.

J'ai dit à Sofia :

« Vous êtes sérieuses ? »

Elle a répondu :

« Oui-llah. »

Zola a demandé :

« Pourquoi ? »

On a ri, cette fois. Ensemble. Je ne me suis pas laissé prendre. Ce rayon de soleil a changé la donne. Je suis devenu un père pétillant. J'ai dit mille fois entre mes lèvres tu ne pleureras pas, tu ne pleureras pas, tu ne pleureras pas. Au même moment, sur les falaises d'Ouessant, tous les guetteurs ailés des crêtes ont pris leur envol dans un même élan.

---

1. Retranscription phonétique de l'arabe : « pain de la maison ».

« Alors, on débarque », j'ai dit aux filles avec entrain.

75   En s'engageant sur la passerelle de débarquement, la jeune rouquine des « ondées passagères » m'a souhaité un bon séjour, avec un regard appuyé. Ou bien est-ce moi qui ai décidé de me l'appuyer tout seul ? Il y avait si longtemps que je n'avais pas serré une femme dans mes bras. Mais quelques secondes
80   plus tard, mes filles m'ont adressé elles aussi un regard appuyé, menaçant de me traduire devant un tribunal des affaires familiales pour haute trahison si je continuais à sourire comme un benêt[1] aux inconnues qui racontent n'importe quoi. Alors là, j'ai retrouvé mes esprits.

85   Quant au Breton d'ici, le vieux tout ridé, sans bruit, il s'en est allé, avec son dos cassé.

Une fois les cordes aux bittes[2] d'amarrage et les soutes[3] refermées, les hommes d'équipage ont filé au bar d'en face et ont commandé des mousses irlandaises. Moi et mes filles, on
90   chante sous la pluie. Notre petite famille éclopée est réunie. Il manque la mère. Je sais. Il y a longtemps que je l'ai perdue de vue. Je ne l'aimais plus. Plusieurs fois, Zola a posé une série de *pourquoi,* alors que nous étions en train de franchir la passerelle.

Pourquoi on s'aime
95   et puis on ne s'aime plus,

---

1. Sot, niais, pas très intelligent.
2. Terme de marine. Pièces de métal cylindriques, fixées sur le pont d'un navire ou sur un quai, auxquelles on attache un câble de remorquage ou d'amarrage.
3. Partie d'un bateau aménagée dans l'entrepont ou la cale pour entreposer le matériel ou les provisions.

pourquoi un cœur bat
et puis ne bat plus,
pourquoi on se marie
et puis on se démarie,
pourquoi on s'amarre
puis on se désamarre.

Elle voulait des réponses. Elle avait envie d'être au chaud
dans une maison de briques et de ciment. Elle voulait surtout
savoir que le foyer que ses parents avaient construit autour
d'elle n'était pas du vent. À chaque pourquoi, je lui ai pris la
main. Je ne trouvais pas d'autre mot.

Nous avons avancé sur la passerelle. J'ai davantage serré sa
main, quand le flanc du bateau a cogné contre la jetée sous
l'effet d'une lame de fond, dans un horrible grincement. Ma
fille a sursauté. Elle ne savait plus s'il fallait avancer ou reculer.
Elle commençait à paniquer. Je lui ai dit de se cramponner
fort à moi, de regarder droit devant, de prendre la terre ferme
comme mire. Finalement, elle a retrouvé le contrôle de ses
petites jambes. Quelques pas plus tard, elle est arrivée à quai.
Comme tout le monde. Sans encombre. Je me suis empressé
de conclure « Tu as vu ? », pour montrer que la lame de fond
n'avait pas eu raison de notre détermination à franchir la passe.
Elle a lâché ma main presque brutalement.

Elle a dit : « Quoi ? »

J'ai dit : « Rien.

– Tu parles tout seul, encore. »

C'était vrai. Je m'étais déjà mis à soliloquer au temps du

désamour, dans la tempête entre sa mère et moi. À cause des avocats. Ils ont fait irruption chez nous dans leurs longues
125 robes noires. Ils ont déposé sur notre table des documents froids à signer, des mots cinglants qui sonnaient comme une oraison funèbre[1], tribunal, conciliation, garde des enfants, consentement mutuel, prestation compensatoire[2], juge des affaires familiales, communauté des acquêts[3], pension alimen-
130 taire, droit de visite, honoraires, conseil.

Ils ont fendu les briques et le ciment de ma maison. Ils ont fait craqueler le carrelage de ma terrasse. Je savais très bien pourquoi. J'étais né d'une tribu de gens d'honneur. C'était là une source de conflit culturel. J'avais grandi dans une famille
135 où la parole donnée valait tous les livres de la bibliothèque d'Alexandrie. Elle était sacrée. Tant de fois j'avais entendu mon père sceller un pacte, un prêt d'argent, des fiançailles par un simple mot donné, que je sacralisais les mots des hommes.

« Un homme c'est sa parole, disait-il avec solennité. Quand
140 il n'y a plus de parole, il n'y a plus d'homme. »

Cette phrase rupestre[4] est tatouée sur ma peau.

Lors de mon divorce, j'avais tenté d'exprimer cet héritage culturel à ma compagne pour éviter l'engrenage de la justice et de ses palais, de ses chambres spécialisées, de ses couloirs et
145 de ses auditions. Nous allions nous déchirer sur les barbelés de

---

1. Discours à l'occasion d'un décès.
2. En cas de divorce, somme remise par l'un des ex-époux pour compenser la différence de niveau de vie liée à la rupture conjugale.
3. Terme juridique. Biens acquis par l'un des époux au cours du mariage et qui font partie de la propriété commune.
4. Qui ressemble à une peinture de la Préhistoire.

cette institution. Je lui jurais sur mes ancêtres que je n'aban-
donnerais jamais mes enfants tout au long de leur vie, c'étaient
mes deux seuls amours au monde, comment pourrais-je avoir
l'idée de les renier, cette suspicion était déjà une telle offense, je
la suppliais de renoncer aux avocats, ne devrions-nous pas donner le peu d'argent dont nous disposions à nos deux petits trésors plutôt qu'aux robes noires qui font tourner l'engrenage ?

Elle n'entendait rien. Le feu brûlait son visage. J'avais décidé
de partir, elle se sentait forcée de me faire payer le prix du billet.
J'avais rompu le contrat de droit, il fallait passer à la caisse. Je
me souviens avoir dit dans un moment de lucidité : « Ça va
nous coûter dix ans de vie. » Un lourd tribut, dix années de
plomb, pour que la haine se transforme en poussière et retombe
au caveau des sentiments inutiles. Mais j'étais surtout meurtri
par son insensibilité à la parole d'honneur. Elle ne croyait pas
un mot de ces balivernes de bédouins[1]. Peut-être à cause des
études de droit qu'elle avait commencées. Je me passais en
boucle l'expression française « Un tiens vaut mieux que deux
tu l'auras ! » qu'elle m'avait servie lors d'une querelle. Elle résu-
mait bien la lame de fond qui existait entre nous.

Là, je me suis mis à soliloquer.

Mon carburateur s'est calaminé[2].

Panne de sens, de filtre à air.

J'ai calé.

Notre covoiturage n'avait duré que quelques tronçons.

---

1. Nomades vivant de l'élevage.
2. Terme technique. La calamine est un dépôt charbonneux et gras dû à la combustion du car-
burant. La tête du narrateur est comme « encrassée ».

Au moment où elle a posé le pied à terre, Zola a formulé un autre pourquoi. J'ai fait le malentendant et je lui ai proposé de me donner sa valise à porter. Elle a refusé. Elle a quand même déballé son autre pourquoi : Quel père j'étais, pour ne plus
5 aimer sa mère qu'elle aimait plus que tout au monde ?

J'ai failli tomber à l'eau. J'ai pesé mes mots en mordant ma langue. J'ai dit :

« Un père et un homme, c'est différent. »

Mais j'ai tout de suite vu que ça allait trop loin, alors j'ai tiré
10 un bord en baissant le ton : quand on est dans le brouillard et qu'on n'y voit rien, il faut faire trois choses : serrer les dents, pleurer et aller de l'avant.

À ma grande surprise, elle s'est mise à bouder et elle s'est arrêtée. Elle a pilé. Au milieu de tout. La pluie ruisselait sur
15 ses cheveux, sur ses joues, dégoulinait sur ses lèvres, charriant les alluvions de la séparation. Sa sœur est venue lui remonter le cœur dans la houle. Elle a juste dit « Allez viens. » Et tendu la main.

Et sur la jetée de ce port breton, aux confins du Finistère,
20 il restait un père qui ne savait plus s'il fallait remonter sur le *Fromveur* et retourner au pays ou bien risquer de s'échouer à Ouessant, comme ces barques halées[1] sur les cailloux qui rouillaient, offrant à la lumière leurs flancs maquillés de goudron et tatoués de blanc.
25 J'ai posé les valises sur le quai. On aurait dit un travailleur

---

1. Traînées, remorquées.

immigré paumé en terre d'exil. J'ai regardé mes filles en face. J'ai dit qu'il était encore temps de rebrousser chemin. On était obligés de rien. J'y suis allé franco :

« Alors, qu'est-ce que vous décidez ? »

On était au bord de la rupture.

Une pause.

Une relance :

« Alors ? »

Une décision.

« Maintenant qu'on y est, on reste », a tranché l'aînée.

C'était elle le commandant, désormais.

J'étais complètement largué. J'avais mis toute mon âme dans ces premières vacances ensemble. J'ai enfoui la main dans ma poche pour dénicher l'adresse de notre lieu de villégiature. Des nœuds obstruaient ma glotte. Sûrement le début d'un cancer. J'imaginais les métastases[1] ravies qui se frottaient les mains en moi et qui criaient ça y est, on l'a eu !

« Alors, on avance ! j'ai annoncé.

— C'est moi le chef, maintenant, a rappelé Zola. Allez, on va de l'avant !

— Mais pourquoi on est venus là ? Dis-le-nous, au moins, a quand même demandé *madame Pourquoi*.

— Allez viens, laisse tomber », a répondu sa sœur.

Pourquoi on était arrivés là ? C'était à cause d'un ami.

« Quel ami ?

---

1. Terme médical. Les métastases correspondent au développement de cellules cancéreuses.

– Yvon Le Guen.

– C'est qui çui-là ? a demandé Zola en apnée.

– Un agent immobilier… », a avancé sa sœur.

Elle pensait que j'avais bénéficié d'une belle réduction du
prix de location, ce qui expliquait pourquoi nous avions fait
tout ce chemin pour débarquer sous les chutes du Niagara alors
que le soleil en Algérie était radieux.

Non, c'était juste un copain de collège. Le premier Gallo-
Roumi[1] de France que je croisais et qui ne me voyait pas
comme un étranger dans la ville où j'étais né. Il m'avait sauvé
la vie devant notre école.

Zola hoche la tête.

« Sauvé ta vie ? *Zarma*[2] !

– Parfaitement !

– T'exagères pas un peu ? »

Non. Avant ma rencontre avec lui, j'avais toujours eu l'impression d'être un clou rouillé sur la chaussée des Français,
je percevais ça dans les regards, surtout celui de Francis.
J'entendais aussi les bouches tordues qui lançaient à mon
passage : « Retourne dans ton pays, l'Envahisseur. Sinon gare
à toi ! »

« Gare à toi » : me garer ? mais où ? J'entendais cette expression pour la première fois. C'était horrible de ne pas comprendre les nuances linguistiques. Je crevais de peur à chaque

---

1. Dans le langage familier des musulmans, désigne les chrétiens européens.
2. Expression algérienne : soi-disant, comme si.

confrontation avec des mots inconnus. Je me sentais handi-
capé. J'en souffrais, mais je ne le confiais à personne pour ne
pas gêner les gens tranquilles qui n'avaient rien contre ceux de
ma tribu. De mon père, je tenais cette philosophie : ne partager
avec les autres que le meilleur de soi et garder ses malheurs au
fond, sous la godasse, jusqu'à ce que le temps les réduise en
poussière, parce que le malheur est le plus grand dénominateur
commun entre les humains. Alors il vaut mieux que chacun
garde sa part pour soi, sinon notre besoin de consolation ne
s'apaise jamais.

Je souffrais de ne pas avoir la tête de tout le monde. J'éclatais
de colère devant le miroir de notre salle de bains : nom de
Dieu, je n'étais pas un envahisseur ! Ce mot valait pour les êtres
venus d'une autre planète, reconnaissables à leur auriculaire
décalé des autres doigts et dont on connaissait la mission sour-
noise : envahir la terre. Et seul David Vincent[1] les avait vus,
voilà pourquoi il était leur cible. Mais moi ? Par tous les diables,
pourquoi voulait-on m'éliminer ? Avec mes parents, on n'avait
pas l'intention d'envahir la France. Au contraire, on était là
juste en transit avant de repartir dans notre vraie maison, sur la
cheminée de laquelle une cigogne avait fait son nid.

Je ne savais pas me défendre contre cette malveillance.

J'étais étranger à tout ça,

Innocent de naissance.

Mon pays, c'était là où je vivais. Je savais par cœur le nom

---

1. Héros d'une série américaine intitulée « Les Envahisseurs » et diffusée en France dans les
années 1970.

100 de l'hôpital où j'étais né pour le prouver en cas d'interrogatoire poussé ou de garde à vue prolongée : « Édouard-Herriot.
Pavillon H. » Je me disais, si tu es pris dans un contrôle d'identité ou dans une rafle, tu cries très fort : « Je suis d'ici ! Interrogez
le maire, il le sait », comme ça les policiers se demanderaient,
105 tiens, comment il connaît le maire, le Suédois[1], et le temps qu'ils
se grattouillent le menton, je m'esquiverais en douce.

Les gens d'ici voulaient me renvoyer de France, pour soup-
çon d'invasion, complot contre la République. J'étais non coupable. Tous les jours, je fixais mon auriculaire avec anxiété : il
110 n'avait jamais été décalé par rapport aux autres doigts, j'avais
tout de même l'angoisse qu'il pousse d'un coup.

Je n'avais jamais vécu sur une autre planète que Lyon, au
numéro 12 de la rue du Sergent-Blandan, mais dans le regard
des riverains, j'avais trop souvent vu que j'étais David Vincent
115 et que David Vincent était algérien. Il avait volé un terrain qui
ne lui appartenait pas. Ça allait mal se terminer.

Et ce qui devait arriver arriva. Un soir, à la sortie de l'école,
Francis, le chef du quartier, me défia devant tout le monde :

« Hé, tête de pastèque[2]… !

120 – Qui ? Moi ? j'ai répondu.

– Oui, toi !

– Qu'est-ce que j'ai fait ?

– Tu manges le pain des Français ! »

---

1. Expression ironique de la part des policiers.
2. Surnom raciste.

Sa voix de ténor emplit les ruelles du quartier jusqu'à la place Sathonay, ricocha sur les façades des immeubles avant de fuser dans les traboules[1]. Derrière, l'écho avait laissé une atmosphère précyclonique. Les jambes écartées à la façon d'un parachutiste du 27e RIP[2], les pectoraux gonflés à bloc prêts à bondir de son blouson de cuir, il jeta son gant à terre. Un silence de duel au soleil plomba le quartier. Brusquement, les merles cessèrent leur chant dans les platanes et se cachèrent derrière les feuilles. Puis, alors que je regardais le gant pour découvrir la signification de cet étrange rituel, profitant de mon inattention, le para m'expédia violemment son poing sur l'œil droit.

C'était un truc de Sioux qu'il utilisait toujours dans les castagnes, détourner l'attention de l'adversaire et le frapper par surprise. Je l'ai appris trop tard. La douleur me submergea. Elle fit plusieurs allers-retours dans mon corps, brûlant tout sur son passage. C'était la première fois qu'on me frappait. C'était la première fois de ma vie que je mourais. De honte. De peur. De tout.

Je devenais mon père.

Je me suis pissé dessus. C'était la première fois aussi. Heureusement, le liquide a inondé mes chaussures et pas le trottoir. Personne n'a rien vu, sinon je ne sais pas ce que je serais devenu.

Ce parachutiste au blouson d'aviateur me haïssait par héri-

---

1. Terme régional. Passages étroits faisant communiquer deux rues.
2. Acronyme : régiment d'infanterie parachutiste.

tage, ses parents avaient dû haïr mes parents et ses ancêtres, mes ancêtres. Cette chaîne de haine me paralysait. Elle était
150 incurable. Nous ne nous connaissions même pas, je n'avais aucune chance de gagner son amitié, j'espérais secrètement qu'il ne saurait jamais rien de mes retours sur mon autre terre à bord du *Ville-de-Marseille* et de mes émotions parmi mes frères têtes de pastèque. Il m'aurait occis[1] et aurait jeté mes restes aux
155 requins-marteaux des eaux de la Saône.

Une question me taraudait : comment savait-il que je mangeais le pain des Français ? Après tout, j'aurais aussi bien pu aimer celui des Viennois, des Italiens ou des Turcs… Je ne comprenais plus rien. Une seule chose était claire : le gant était
160 resté à terre, mon œil avait explosé et pendant que je plaquais mes deux mains dessus pour contenir la douleur, j'avais reçu un coup de genou dans les parties génitales, seconde phase de mon exécution publique. La foudre partie de mon bassin était remontée jusqu'à ma gorge. Elle m'avait même fait mal aux os.
165 Et aux dents.

Une main entre mes cuisses et l'autre sur mon œil, je m'étais dit si ça fait aussi mal de se battre, alors je ne frapperai jamais personne de ma vie.

Je me souviens de la foule des carnivores de l'école qui
170 criaient « Vas-y, vas-y, bats-toi ! Mets-lui ! Déchire-lui sa race ! » sur le trottoir noir d'enfants en short, cartable au dos. À ce moment-là, j'ai vu défiler les images de notre arrivée en train

---

1. Tué.

à Sétif, chez les miens, et le bonheur qui me remplissait alors. Le parachutiste du quartier voulait déchirer tout ça. Il détestait les melons et les têtes de pastèque. J'entendais ces mots qui tourbillonnaient en moi et je plaquais mon cartable sur ma tête pour ne plus les entendre.

J'ai d'abord vu la Voie lactée, ensuite des milliers d'étoiles qui filaient à l'anglaise. Il me restait un œil pour me diriger et échapper aux griffes du forcené. Bouleversé, j'étais. Moitié aveugle. J'ai pu me relever, j'ai fait face au para, serré les poings devant lui et j'ai dit « Allez, viens, allez, peureux », pour l'impressionner, mais il a éclaté de rire, la foule aussi, alors j'en ai profité pour pivoter et j'ai couru comme un fou jusqu'à chez moi, manquant dix fois de me faire renverser par les Tractions avant noires, les Amis 8, les Déesses 21, les 4 CV et les 4 L, traversant la chaussée comme un cheval arabe piqué par une mouche lyonnaise. Je n'avais qu'une idée en tête : filer à la vitesse de la lumière, droit vers mon foyer.

Aller me garer.

Face au miroir, j'ai réalisé que j'étais David Vincent : non seulement j'aimais l'Algérie en cachette, mais de plus je mangeais le pain des Français. Surtout celui de monsieur Batesti, chez qui j'achetais aussi une fois par semaine un pain russe à quarante centimes. J'en raffolais. Lorsque Francis a voulu m'éborgner, j'ai eu peur de cette vérité : je buvais à deux sources.

En ruminant cette découverte, j'ai soudain réalisé que, dans la précipitation, j'avais oublié mon cartable sur le trottoir. Il

200 y avait dedans mon carnet sur lequel j'écrivais mes souvenirs d'Algérie. Mais j'avais trop mal entre les jambes pour penser à ça. Il y avait plus urgent. J'ai filé droit au frigo, pris des glaçons et couru aux toilettes. Je m'y suis enfermé pour les placer dans mon caleçon. Le genou de Francis m'avait frappé fort, j'avais
205 l'impression d'être devenu une fille. Je ne sentais plus mon sexe. Il était tout rentré dedans, avec les deux billes. Les glaçons m'ont anesthésié. Quelques minutes après, je suis redevenu un vrai garçon. Avec ses attributs et ses épithètes, comme disait Malik.

210 Une fois sorti des W-C, j'ai essayé de cacher mon œil à ma mère, mais elle a porté la main à sa bouche, choquée. J'ai aussitôt brouillé les pistes : je lui ai annoncé qu'à partir de ce soir je ne voulais plus manger que du pain *khobz ed'dar*, celui de la maison. Aucun parachutiste ne m'humilierait plus à l'école
215 devant les garçons. Et devant les filles. Surtout Louise Batesti à qui je faisais des yeux de merlan frit depuis la rentrée scolaire et qui était restée là, spectatrice sur le trottoir, en jupe courte et bottines marron, au milieu de la foule noire.

Jamais je n'oserais réapparaître devant elle et les autres élèves
220 de l'école.

Comble de malheur, dans mon cartable, il y avait une lettre que j'avais écrite avec mes mots à moi. Une lettre destinée à Louise. J'avais même humecté les mots « je t'aime » pour faire croire à des larmes qui auraient jailli de moi au moment où
225 je les écrivais. Le parachutiste allait forcément tomber dessus. Je serais la risée de la ville entière. J'étais anéanti. Mes bras

pesaient deux tonnes. Je me méprisais. Un garçon qui se fait molester sur le macadam par le premier rustre[1] venu, pauvre minable berné par le plus grossier stratagème, pourra-t-il trouver un jour une épouse et fonder une famille ? Qui va les défendre ? À coup sûr, Louise Batesti s'était posé ces questions. Je la comprenais. Une fille a besoin d'être en sécurité dans les bras de son aimé, sentir qu'il a du répondant face aux aléas et aux prétendants.

Ce jour de la grande défaite, je m'étais dit que je n'y arriverais jamais. J'aurais peur toute ma vie. Je me pisserais dans les chaussures au moindre coup de Trafalgar[2]. Je ne trouverais jamais une amoureuse. Mais un homme peut-il tenir debout sans aimer ? J'étais fait. Alors un jour je me suis décidé à être courageux. J'ai écrit une lettre d'excuse pour l'acte de bravoure que j'allais faire et je l'ai posée sur le lit de mes parents. Le lendemain à l'aube, je suis sorti de la maison à pas de loup. Dehors il n'y avait que des travailleurs qui partaient au boulot à pied, en mobylette ou à vélo. Personne ne prêtait attention à moi, pourtant j'avais l'impression d'être un gyrophare tellement j'étais électrisé par ce que j'allais faire. Je suis passé devant le lycée La Martinière, puis j'ai marché jusqu'au bord du fleuve. Je suis monté sur la passerelle Saint-Vincent soutenue par des câbles aussi solides que ceux du Golden Gate[3] de San Francisco. J'allais mettre fin à mes jours.

---

1. Individu mal éduqué.
2. Bataille navale (octobre 1805) qui a opposé les flottes britannique et française et qui s'est conclue par la défaite de l'armée de Napoléon.
3. Le Golden Gate est le pont qui surplombe le détroit unissant San Francisco à l'océan pacifique.

Une vieille dame qui traversait la Saône avec son sac à provisions à la main m'a regardé sans rien dire. J'ai pensé qu'elle imaginait que j'allais lui voler son sac, la pauvre. Elle a fait un pas de côté pour me laisser passer. J'ai attendu qu'elle s'en aille.
255 Je ne voulais pas l'effrayer. Quand elle a tourné le dos, j'ai posé le pied sur le câble du pont. Je les sentais déjà les mâchoires des requins-marteaux qui se refermaient sur mon crâne, prêtes à aspirer mon cerveau. Mon carburateur toussait, crachait des gaz et des glaires. J'ai fixé l'eau du fleuve, argileuse. Elle avait
260 l'air glacée. Je n'ai pas compris ce qui s'est passé en moi à cet instant, mais ça m'a paralysé. J'ai entendu la mémé qui criait. J'ai commencé à hésiter. Les immeubles de la Renaissance italienne qui s'alignaient sur le quai se reflétaient dans les eaux de la Saône. Un tronc d'arbre est passé dans les flots, porté
265 par un cortège de vaguelettes noires. Puis j'ai vu flotter sur les eaux mon cartable d'école. Avec mes souvenirs d'Algérie, ma lettre d'amour à Louise. J'étais foutu. Ce n'était plus la peine de mourir une seconde fois. J'ai ôté mon pied du câble. J'ai fait marche arrière. Le cartable est passé sous le pont. Je me suis
270 précipité de l'autre côté, impuissant. La mémé sur l'autre rive me fixait d'un air suspendu. Je l'ai regardée moi aussi. Quoi ? J'ai le droit d'essayer d'être courageux, non ! Elle a eu peur. Elle a tourné les talons et s'est diluée dans les traboules.

Je suis rentré chez moi m'abriter sous une couverture bien
275 chaude, parce qu'il me semblait que j'avais pris un petit coup de froid sur le pont des Soupirs[1].

---

1. Situé à Venise, il était traversé par les prisonniers rejoignant les cellules d'interrogatoire.

Ce n'était pas un bon jour pour mourir.

Je n'ai jamais retrouvé mon cartable et mon histoire. Ni ma lettre d'amour. Mais j'ai récupéré sur le lit des parents ma lettre post mortem[1]. Ils ne l'avaient même pas remarquée, heureusement. De toute façon, ils ne savaient pas lire. Malik non plus ne l'avait pas vue, sinon il serait allé arracher les yeux du para. Après l'avoir scalpé. Et lui avoir cassé les dents. Qu'on touche à son petit frère le rendait hystérique. J'étais son protégé. Ses muscles avaient du répondant, pas comme ceux de mon père.

Je n'ai pas avoué à ma mère que j'avais été frappé par un parachutiste, elle aurait de nouveau eu peur de tous les Français, comme là-bas, au temps du djebel[2], en mai 1945[3] à El Ouricia[4], quand les soldats du contingent, avec les *Siligaines*, canardaient les champs de blé où elle se cachait avec sa famille, leurs mains de pauvres levées en bouclier. Si j'avais avoué, elle ne m'aurait plus laissé m'aventurer dehors, dans les champs de blé français. Parce que pour elle, un champ de blé était un champ de blé, quel que soit le pays où il se trouvait. Il fallait toujours s'en méfier.

Les *Siligaines*, c'était les Sénégalais. Les tirailleurs, noirs, africains, musulmans. Ils tiraient eux aussi sur les habitants des villages terrorisés. C'était leur métier. Ils étaient payés pour ça.

Ma mère a simplement demandé pourquoi mes chaussures sentaient l'urine depuis la veille, puis elle a voulu savoir qui

---

1. Après la mort.
2. Montagne, en langue arabe.
3. Massacre de civils algériens.
4. Région de la wilaya de Sétif.

avait mis ce khôl sur mon œil. J'ai répondu que j'avais heurté une branche sur le chemin de l'école et elle a dit heureusement elle ne t'a pas touché dedans. J'ai dit oui, heureusement, alors que j'avais été fracassé, les mots coupants de Francis m'avaient
305 fait mal jusque dans mon squelette.

Mon cœur était un encrier, avec du pus à l'intérieur.

Sûr que ça allait suinter des années durant.

Surtout à cause de ce qui s'était passé. Ou plutôt pas passé : Louise Batesti n'avait pas bougé le petit doigt. Ni un sourcil.
310 Rien. J'aurais pu agoniser sur le trottoir, toute la nuit, le ciel aurait pu tomber sur moi, Louise ne m'aurait pas secouru.

Pourtant, j'avais cru déceler chez elle une certaine tendresse pour moi. Hélas, je m'étais fait une raison. Dans les histoires de cœur, je n'y voyais rien, je n'y entendais rien, je n'y touchais
315 rien. Pendant des semaines, ces goûters partagés, ces poèmes recopiés en douce pour elle, pour quoi, pour quoi ? Pour rien. Aucun retour. J'avais été nigaud sur toute la ligne.

Depuis, je n'ai plus jamais acheté de pain russe chez son boulanger de père. C'était le début des représailles. Fini le pain
320 des Français. Fini les Batesti. J'ai voulu m'inscrire au boxing club près de chez moi pour pouvoir me défendre, mais il fallait payer l'inscription à l'avance et on n'avait pas de quoi avec les allocations familiales. Alors je me suis entraîné tout seul devant le miroir du couloir. Au bout de quatre jours, je l'ai cassé d'un
325 coup de pied latéral non maîtrisé. Déconcertée, ma mère m'a

proposé un rendez-vous avec son marabout[1]. J'ai refusé. Je n'étais pas fou.

Après, je me suis mis à marcher de travers, un œil devant un autre derrière, le soleil se levait à l'est et moi j'étais complètement à l'ouest. La nuit, je pensais à notre maison en Algérie, j'allais m'y retirer, fini la France, les Français, le Rhône, Guignol et les canuts[2] de la Croix-Rousse[3], je ne voyais plus que d'un seul œil, mais ça ne m'empêchait pas de rêver en serrant les dents et les poings.

Et de chialer en même temps.

---

1. Dans la religion musulmane, ermite à qui l'on attribue des pouvoirs de guérison.
2. Ouvriers lyonnais qui tissaient la soie.
3. Quartier lyonnais.

Yvon Le Guen m'a sauvé de l'isolation humaine.

Il avait deux années de retard par rapport aux autres élèves, mais deux années d'avance en maturité. Dans la classe, il occupait toujours le dernier rang afin que les autres élèves puissent voir la prof et le tableau, car c'était un immense gaillard dont les épaules couvraient l'espace de deux sièges. Après mon agression, il est allé faire goûter à Francis ses poings de Breton, plus précisément de l'île d'Ouessant dont il était natif. Il l'avait occis en public et tout le monde avait été très surpris de l'humiliation du chef de quartier par le Wisigoth[1]. En moins de deux, il avait dû jurer qu'il ne lèverait plus jamais la main sur moi. Le Breton m'avait redonné confiance en moi, je pouvais ressortir dans les champs de blé. Francis n'osait même plus me regarder. Pour le narguer, je lui disais « Allez viens, allez, peureux. » Il ne bougeait pas. J'étais un homme libre. Je me mis à vénérer les Bretons. Surtout ceux d'Ouessant.

« Ouessant » devint pour moi synonyme de soleil, de force et de trésor. Je croyais que l'île n'était peuplée que par de doux géants comme Yvon. Je me souviens précisément du lieu où ce mot s'est gravé en moi, un appartement au 46 rue de Brest à Lyon qu'Yvon louait grâce à l'argent de ses parents. Il était entièrement décoré de photos et d'objets bretons. Un soir, nous étions dans sa cuisine éclairée par un néon qui faisait flotter nos silhouettes sur les murs sales et graisseux et, tout en préparant de la pâte à crêpes, on parlait d'ici et de là-bas. À un moment donné, il a dit :

---

1. En référence au peuple germanique qui a envahi l'Europe médiévale.

« C'est là. »

On aurait dit qu'il était au sommet de la vigie[1] d'une goé-
lette[2] et qu'il criait « Terre ! Terre ! », exactement comme la
30 première fois qu'on a hurlé ces mots sur le pont du *Ville-de-
Marseille*. Son doigt a largué l'ancre sur le bleu glacé de la carte
Michelin agrafée au mur. Il s'est tu. Ses yeux se sont envolés.
Une petite brise s'est levée et a ridé la surface de la carte. Je
l'observais de biais. Je les voyais, les gouttes de nostalgie qui
35 roulaient sur ses cils. Les mêmes que les miennes lorsque j'arri-
vais à Sétif dans le train de mon enfance. J'étais bloqué devant
la tristesse que j'avais réveillée en lui.

J'ai toujours aimé les îles, leurs falaises mélancoliques, leurs
marins à la gueule burinée, leurs brigands au cœur grand, leurs
40 corsaires manchots bucoliques[3] et leurs poètes cheveux au vent.
Ici, les mouettes sont chez elles, voiliers blancs du ciel.

Ces terres où l'on échoue, entre des épaves d'embarcations
enchaînées à la vase, m'attiraient depuis la découverte de *L'Île
au trésor*, le premier livre que j'aie lu en entier sans respirer.

45 À mon tour, j'ai lancé mon doigt sur le bleu de la carte et j'ai
fait du cabotage[4], de l'île de Bréhat à celle de Groix, de l'île de
Sein à Belle-Île. Ces noms aux lointains échos résonnaient en
moi comme si j'étais né sur chacune d'elles. J'attendis ensuite
que la nostalgie desserre le cœur de mon ami breton. Puis il

---

1. Poste d'observation.
2. Voilier à deux mâts.
3. Qui évoquent la vie simple et heureuse des champs.
4. Navigation à faible distance des côtes.

50 se tourna vers moi, « Un jour je te la présenterai, mon île, tu viendras chez moi. Tu verras, tu comprendras. »

Le bateau qui assurait la liaison entre l'île et le continent s'appelait le *Fromveur*. Il y avait un grand phare, le phare de la Jument, avec son gardien, un poète fou qui ne descendait
55 jamais de sa lumière… Les mots d'Yvon restèrent gravés en moi comme les poèmes de Francis Jammes[1], d'Émile Verhaeren[2] et de Maurice Carême[3] que j'avais appris à l'école et qui reviennent rôder en moi aux saisons romantiques.

Yvon habitait rue de Brest, mais il était né très loin de Lyon
60 et chaque jour il avait besoin de raconter son pays pour qu'il ne lui échappe pas, assis à une terrasse de café au bord du Rhône. Un jour, je réalisai qu'à Lyon, il était en exil. Pourtant, à peine cinq cents kilomètres le séparaient de sa Bretagne, il pouvait y rentrer à sa guise, mais c'était pour lui une vraie traversée de
65 l'Atlantique. J'étais surpris par cet étrange Français pas comme les autres qui geignait comme un enfant d'être si loin de son île. Que devais-je dire, moi dont le pays était devenu inaccessible à cause du prix des billets ? Insurmontable, comme disait mon frère Malik.

70 Avec Yvon, j'ai appris que les méandres de la mélancolie sont tortueux et que la douleur d'être loin de chez soi ne se mesure pas en kilomètres sur une carte Michelin. C'est une émotion à

---

1. Francis Jammes (1868-1938) : poète, romancier, dramaturge et critique français.
2. Émile Verhaeren (1855-1916) : poète belge flamand d'expression française, l'un des fondateurs de l'école du symbolisme.
3. Maurice Carême (1899-1978) : écrivain et poète belge.

fleur de peau, un petit vertige de chaque jour qui ronge l'âme, une vague, qui creuse incessamment. Yvon m'a fait découvrir l'éternel regret d'avoir laissé quelque chose derrière soi. Les Portugais l'appellent *saudade*[1]. C'est ce sentiment que les chanteurs de *fado*[2] vont puiser au fond de leurs entrailles, les yeux fermés. L'histoire d'un homme solitaire qui a perdu dans un port une amarre, une attache, ses origines. Leurs chansons disent que l'enfance est un été dont on ne revient pas quand, au seuil de nos portes, septembre a déposé sa première feuille morte.

À Lyon, sur les bords du Rhône, quand Yvon se mettait à raconter son pays, toutes ses voiles se tendaient vers Ouessant comme Verlaine[3] au vent mauvais. J'en restais bouche bée. Le soir même du départ des vacances, il défaisait les liens qui le retenaient à Lyon, levait l'ancre tout en remplissant son sac de vêtements froissés, puis sautait dans sa vieille Fiesta et démarrait en trombe.

Il mettait les voiles.

Il partait, se tirait, se barrait.

Il filait rejoindre sa terre et se recharger. J'avais à peine le temps de le saluer. De toute façon, il détestait dire au revoir. « Le jour où nous nous quitterons, je ne te dirai pas au revoir, je suis comme ça, ne m'en veux pas », m'avait-il prévenu.

Ouessant était son seul amour. Il ne pourrait jamais vivre ailleurs que sur son île.

---

1. Mot portugais et de Galicie qui exprime une mélancolie empreinte de nostalgie.
2. Musique populaire portugaise ou chanson empreinte de nostalgie et de fatalisme.
3. Verlaine (1844-1896) : poète français symboliste.

Il était elle.

Il était une île.

Comme mon frère Malik, il adorait se défendre avec
100 des mots qu'il taillait en lames de couteaux. Ainsi, c'est lui
qui m'annonça un jour que j'étais un indigène lyonnais[1].
« Indigène ? » Je m'étais cabré. Ce mot me rebutait. Je me souvenais qu'en Algérie, les Français en colonie appelaient ainsi les
gens de ma tribu. Voilà pourquoi je croyais que mes parents
105 étaient des primitifs qui vivaient dans les arbres et sautaient de
liane en liane entre les oliviers, vêtus de peaux de mouton, un
poignard entre les dents. À cause du général Bugeaud[2]. Il avait
fabriqué ce portrait de singes aux miens qui vivaient en paix
dans leurs villages. Elle ne me plaisait pas du tout, cette image,
110 mais au contact d'Yvon, je me suis observé sous différents
angles, aigus, obtus, j'ai redressé l'échine. Ma bosse a disparu.
J'ai senti la fierté d'être un angle droit. J'ai cessé d'avoir honte
de mes ascendants.

« Je suis un indigène, né à l'hôpital Édouard-Herriot de
115 Lyon ! » j'avais crié à Yvon.

Il s'était bien marré.

Je n'ai jamais oublié.

Cette rencontre avec ce Français à l'ouest me transforma.
Je suis devenu un autre. J'ai desserré les poings. Le monde
120 m'ouvrait les bras. J'aimais la France du quartier de la place

---

1. Né à Lyon.
2. Gouverneur général de l'Algérie en 1841 chargé de la pacification par la force du pays.

Sathonay. J'étais son fils légitime. Heureux de ma métamorphose, le Breton m'avait ensuite demandé si je connaissais le contraire d'un indigène. J'avais haussé les épaules. J'allais dire un Arabe, un musulman, quand il a lâché : « Un allogène[1]. » C'était un joli mot. Sur le coup, des images avaient défilé dans ma tête, j'avais imaginé monsieur Batesti qui, depuis une cabine publique, passait son temps à téléphoner à ses gènes restés en Italie pour se souvenir des odeurs de sa maison, des crottins de chèvre, de l'humus de sa terre.

Au fil des années, Yvon Le Guen devint mon *calot*, ce qui signifie « ami » en dialecte de la Croix-Rousse. Mon calot allogène. À la vie, à la mort. Nous avions fait la cérémonie de l'échange de sang à la lame de rasoir, avec le serment de fidélité éternelle.

Ma mère l'adorait. Elle s'était mise à aimer tous les Bretons du monde. Elle prononçait *Douar Nenez* comme *Douar[2] Bendiad* pour faire rire la maisonnée parce qu'elle avait compris qu'elle touchait une corde sensible qui rapprochait les douars d'ici et les douars de là-bas et que c'était bon de rire des différences au lieu d'en avoir peur. Elle n'était jamais allée à l'école, mais elle n'était pas née de la dernière pluie. Quand l'ami venait à la maison manger le couscous aux cardons[3] qu'elle concoctait pour lui, elle touchait ses cheveux blonds, les caressait en posant des questions sur ses parents pour connaître sa

---

1. Personne étrangère récemment immigrée.
2. Groupe de tentes chez les nomades d'Afrique du Nord.
3. Le cardon est un légume proche de l'artichaut.

145 lignée familiale. Peut-être voyageait-elle, aussi, en questionnant et en écoutant.

Je faisais le traducteur parce qu'elle ne parlait pas français.

Elle ne pouvait même pas prononcer le mot « Bretagne ». Elle disait « bagne » à la place. Un jour, elle avait interrogé 150 Yvon :

« Alours, ti l'aimes, la Lingerie ? »

Il m'avait regardé en ouvrant ses mains pour dire sa gêne :

« Quelle lingerie ?

– Elle veut savoir si tu aimes l'Algérie ? »

155 Il n'avait pas osé éclater de rire.

« C'est comme ça qu'on dit en algérien ? »

J'avais répondu oui, pour faire simple.

Il en a conclu que le français et l'algérien étaient proches, même s'il pouvait y avoir des confusions à cause de l'accent 160 de ma mère. Puis elle lui a demandé, la prochaine fois qu'il viendrait, de lui apporter des photos de ses parents pour qu'elle fasse connaissance avec eux. Il en était ravi.

Il était l'un des nôtres.

Un jour, mon père m'a demandé avec regret : « Pourquoi 165 les Francisses ils sont pas tous comme loui ? » Ils n'auraient pas fait la guerre et massacré sa famille à Sétif au printemps 1945. J'ai dit que les Bretons étaient un peuple à part. Des immigrés comme nous. Il a fait : « Ah, ci bour ça ! » Et sa tête a basculé un long moment dans la méditation.

170 Oui, c'était pour ça. Pour la première fois de ma vie, avec Yvon je me sentais heureux d'être moi. Juste moi, personne

d'autre. J'ai appris quelques mots bretons et lui des mots kabyles. On a commencé par les insultes, les plus faciles à retenir, mais on ne les a jamais utilisées.

On nous appelait les jumeaux. Nous l'étions : quand l'un prenait un coup, l'autre avait mal. Tout ce qui était à moi était à lui.

Avec le Breton, je m'étais dit qu'au fond, tous les pauvres du monde sortent du même moule. Ils ont le visage carré et hospitalier, avec des rides profondes. Je me disais aussi que tous les pauvres du monde savent ce qu'accueillir signifie. Ils sont debout, les pieds nus plantés dans leur terre, fiers.

Les mois passaient. Plus ils passaient, plus j'étais heureux. Plus j'étais heureux, plus j'avais peur. Nous avions grandi et je savais bien que le temps transformait les gens. On ne pourrait pas rester des calots éternels. Hélas, un jour vint la triste nouvelle. Une crevasse. Une absence. Yvon disparut. Aussi vite et mystérieusement qu'il était entré dans ma vie. Certains prétendirent que les adorateurs d'une secte l'avaient charmé avec une guitare sèche dans le centre de Lyon et qu'il était parti avec eux dans leurs élucubrations.

Je me mis à me ronger les ongles. Jusqu'au sang. Je l'ai cherché le long du fleuve, sur le pont des péniches, j'ai sifflé tant que j'ai pu, il n'est jamais revenu. J'ai refait les chemins que nous avions parcourus, effectué plusieurs allers-retours sur les berges, demandé aux danseurs des fest-noz lyonnais s'ils ne l'avaient pas vu traînant sa nostalgie dans le mistral.

Rien, volatilisé le Breton, perdu.

Je me suis senti troué de toutes parts. L'ami m'avait fait par-
200 tager tant de choses, il était parti sans un mot. Je lui en voulais
à mort. Je lui pardonnais à vie. Il ne savait pas dire *salamalec*[1]
et *kenavo*[2] au moment du départ. S'effacer : il avait fait fort. Je
m'étais fait une raison : ainsi, l'amitié avait besoin de respirer.
Il fallait la laisser s'en aller comme les petits papillons bleus du
205 printemps. Elle s'éloignait, elle reviendrait.

Je n'abandonnais pas mes recherches. Les vacances d'hiver
avaient commencé. Triste, je m'étais pointé à l'entrée de l'autoroute, guettant le passage des Ford *Fiesta* blanches dans l'espoir
d'apercevoir la sienne. En vain. À la tombée de la nuit, ce sont
210 les policiers qui vinrent me déloger de mon poste d'observation strictement interdit à toute personne étrangère au service,
l'un d'eux m'avait traité de « Suédois » et avait menacé de me
renvoyer dans mon pays si je continuais à « ouvrir ma gueule »,
alors que je n'avais pas prononcé un mot. J'ai réussi à murmu-
215 rer : « Je suis un indigène, je suis né à l'hôpital Édouard-Herriot
et je connais le maire de la ville. »

Il s'en moquait comme de l'an quarante, tandis que ses col-
lègues se gaussaient en m'embarquant dans le panier à salade :

« Un Suédois qui connaît le maire de Lyon ! On aura tout
220 entendu ! »

Ils ont vu que j'étais atypique et que je maniais bien la
langue française. Ils m'ont remis en liberté, après avoir inscrit

---

1. Politesse excessive.
2. Au revoir, en breton.

mon nom sur ce qu'ils appelaient une « main courante[1] » au
commissariat.

De retour à l'air libre, j'ai aussitôt repris mes recherches. À
plusieurs reprises, je suis allé sonner à la porte de l'appartement
rue de Brest. En vain. Son nom était encore inscrit sur la boîte
aux lettres, débordante de prospectus. Les voisins ne savaient rien.

Une seule fois, ma mère, préparant un couscous aux cardons,
me demanda des nouvelles de ce garçon si gentil, au visage
si doux qu'elle appelait *Yvoune*, je dis qu'il était reparti dans
son pays et elle répondit qu'elle comprenait ça, il avait bien
raison, on ne pouvait pas passer toute son existence en exil,
chez les autres. Son visage avait changé de relief quand elle
me demanda ensuite, les yeux heureux, si je me souvenais des
voyages fabuleux que nous faisions sur le *Ville-de-Marseille* et
dans le train de Sétif quand nous retournions en Algérie. Elle
hochait la tête pour rassembler les souvenirs autour de ses yeux,
en cercle, comme nos bagages sur le pont du bateau qui nous
emmenait là-bas.

Bien sûr que je me souvenais. De chaque détail. Et plus je
me souvenais, plus la douleur du manque de Malik me bouffait
des parts de cœur. J'avais tout écrit sur mon carnet de voyage :

*7 juillet 1967. Au port de Marseille, avec mes parents, mes sept
frères et sœurs et moi, on est arrivés vingt-quatre heures avant le
départ du bateau, parce que mon père est toujours angoissé d'ar-*

---

1. Journal où sont consignés les événements de la vie d'un commissariat.

river en retard. Il préfère se présenter à l'embarquement un jour avant plutôt qu'une minute après. Vingt-quatre heures d'avance !

Sous le soleil de la Canebière[1] en plein été, sans argent parce qu'il
250 *fallait faire des économies, suant sous le poids des valises et des cartons pleins de cadeaux apportés à la famille du village, avec mon père qui ne cesse de rouspéter, qui craint que le toit du ciel nous tombe sur la tête, comme si le ciel n'avait d'autre plan que de se laisser choir sur nous et nos vacances. Derrière lui, ma mère*
255 *fait la sourde oreille. Elle est déjà là-bas, au village où elle est née, tranquille. Elle se délecte des odeurs de galette chaude, au cumin et au safran qu'elle sent déjà. Elle ferme les yeux et se revoit marcher avec son père qu'elle tient solidement par la main, entre le village des Amouchas et celui d'El Ouricia, où son mari l'attend au milieu*
260 *des moutons. Une sirène de bateau hurle. Nous sommes à bord du* Ville-de-Marseille. *Nous regardons le vieux port qui s'en va derrière, la Canebière qui remonte vers la gare Saint-Charles, nous passons devant l'île de Monte-Cristo et sa légende du prisonnier, nous disons au revoir à la Bonne-Mère en imitant l'accent de*
265 *Fernandel[2], de Raimu[3] et de Marcel Pagnol[4]. Au revoir la France, à bientôt. Peut-être. Sur le pont qu'une brise commence à fouetter, mon père a déposé nos valises en cercle pour nous protéger du froid et surtout pour surveiller les richesses destinées aux cousins de là-bas. Il a dû voir cette tactique de campement dans les films de John*

---

1. Artère animée de Marseille, partant du Vieux-Port.
2. Fernandel (1903-1971) : Acteur, chanteur et réalisateur français.
3. Raimu (1883-1946) : acteur français.
4. Marcel Pagnol (1895-1974) : écrivain et réalisateur.

Wayne, quand les Comanches attaquent les caravanes d'immigrés irlandais. Ou peut-être a-t-il entendu parler de la smala[1] de l'émir Abdelkader[2]. En tout cas, il s'est assis en sauterelle au milieu du cercle pour avoir une vision panoptique[3] des choses : à trois cent soixante degrés et même plus si nécessaire. Il est prêt à bondir comme un félin. Pas un malandrin n'approchera de nos richesses accumulées au prix de tant de sueur : des jouets en plastique pour les enfants, des vêtements neufs pour les uns, d'occasion pour les autres, du chicoulat aboumarchi[4], du saboune[5] de Marseille pour frotter le linge et la peau, du shampoing, des cigarettes, des parfums pas chers, des bouteilles d'eau de Cologne, un carburateur de Bijo[6] 404 pour le rémouleur du village dont la voiture est en panne... Avec mes frères et sœurs, nous sommes allongés à côté, sur les transats que nous avons loués pour pas cher peuchère, comme dit mon frère aîné Malik avec l'accent de la Canebière. Nous avons étendu des couvertures sur nos jambes. On rêve, les yeux lâchés dans les constellations. Malik invente un poème sur le ciel criblé d'étoiles qui paraît à portée de main. Il clame que c'est un saule pleureur bourré de guirlandes qui pendouillent comme des lucioles pour éclairer les Terriens. Il pense que les étoiles sont des mégots de cigarettes incandescents que les ancêtres partis au ciel balancent à

---

1. Terme familier. Famille nombreuse et envahissante.
2. Émir Abd el-Kader (1808-1883) : homme politique et chef militaire algérien qui a résisté pendant 15 ans au corps expéditionnaire français.
3. Centrale.
4. Transcription phonétique. Chocolat bon marché.
5. Savon (en langue arabe).
6. Transcription phonétique : Peugeot.

terre pour qu'on ne les oublie pas. Il a lu ça dans un roman grec.
Juste à l'entendre, je meurs d'envie de toucher les branches du ciel
pour embrasser les étoiles filantes. Puis il a proposé de jouer à celui
qui en voit une le prem's. Aussitôt, je lance mes yeux dans le ciel,
295 *je traque les perles fugitives. J'ai bien chaud sous les couvertures.*
On rentre chez nous, là où tous les gens ont la même tête que nous,
c'est ce petit détail qui me marque le plus et que j'aime le plus.
Je sais que je n'aurai pas peur de me retrouver au milieu de mes
semblables. Pas comme en France où je suis trop différent des gens
300 *d'ici, je le sais, je le sens dans leurs yeux. Je suis clairvoyant.*

Puis je sombre dans le sommeil, je suis léger, je suis un papillon
suspendu à un fil invisible. Je résiste. Je veux être le premier à
trouver l'inaccessible étoile.

Ça y est ! J'en vois une !
305 *Une quoi ?*
Une étoile filante !
Où ?
Là,
là !
310 *Mais elle a déjà filé, c'est son sort, filer sans cesse et laisser de la*
poudre d'illusion dans sa traînée blanche. Soudain j'en vois une
autre, puis une autre, ça défile de tous côtés, c'est un feu d'artifice,
la fête du ciel, on rentre dans le pays de nos parents, nos ancêtres
ont suspendu des guirlandes multicolores aux arbres de leurs souve-
nirs. Mes ancêtres ne sont ni gaulois, ni romains, ni burgondes[1], ni

---

1. Peuplade germanique qui migra au IIIe siècle, pilla la Gaule au début du IVe siècle et vint s'établir en Afrique du Nord.

15 *vandales[1]. Ce sont des cavaliers arabes venus avec les armées d'Abd al-Rahman[2] jusqu'à Poitiers en 732[3]. Mais je ne le dis à personne.*
« Arabe » est un gros mot.

Les mots d'Yvon Le Guen hantent ma mémoire. Dans son pays, il y avait de l'eau partout, les carrelages des terrasses ne 20 craquelaient jamais, de chaque rocher on pouvait plonger dans la mer et se rafraîchir à tout moment. Un beau matin, un bateau me débarquerait sur cette terre de lumières, j'en étais sûr. Viens dans mon île, viens, me susurraient des sirènes de grand chemin. Je n'avais pas de boules de cire dans les oreilles. 25 Je n'étais ligoté à aucun mât. Je me tenais prêt à plonger.

---

1. Autre peuplade du nord de l'Europe.
2. Émir de Cordoue puis gouverneur de l'Andalousie de 721 jusqu'à sa mort en 732, durant la bataille de Poitiers.
3. Bataille qui opposa le royaume franc (Charles Martel) et le duché d'Aquitaine (Eude, duc d'Aquitaine) à la dynastie des Omeyyades le 25 octobre 732.

À peine débarqués, tous les passagers du *Fromveur* se sont volatilisés. Nous nous retrouvons, mes filles et moi, seuls, abandonnés, nos bagages à nos pieds. Le chauffeur du car local nous hèle et nous demande dans quel hôtel nous avons réservé. Je dis ce n'est pas un hôtel, mais chez un particulier. Il réclame l'adresse.

La bruine postillonnait quand il a posé les yeux sur l'encre dégoulinante de mon bout de papier. Il a simplement dit « Montez », il y en avait pour vingt minutes.

Une bonne tête, ce chauffeur. Un petit quelque chose d'Yvon Le Guen dans le regard, chaleureux. Un visage carré, surtout côté mâchoires, des sourcils disciplinés. Et des lunettes de soleil. En plein milieu des cumulo-nimbus qui flinguaient le ciel, cet attribut laissait envisager qu'il avait de l'humour, outre sa bonne humeur.

À part nous, il n'y avait pas grand monde dans le car, et même personne pour dire les choses comme elles étaient. Le chauffeur, qui nous visait dans son rétro intérieur, a dit : « Vous pouvez vous mettre là où vous voulez, ce n'est pas le choix qui manque ! » J'ai répondu merci, et j'ai ajouté : « Vous pourrez y voir clair avec vos Ray-Ban sous la pluie ? »

Il a fait : « Ah, vous avez remarqué ? »

J'ai dit : « Je suis clairvoyant. »

Après une seconde d'hésitation, il a trouvé que c'était un atout. Puis il s'est tu. Il n'a pas ôté ses lunettes pour autant. Ensuite, je me suis tourné vers Zola, je lui ai proposé de s'asseoir sur mes genoux pour la réconforter, elle commençait à avoir des nausées à cause du mal de mère, et je n'ai pas quitté des yeux le paysage que nous traversions, à la recherche des images qu'Yvon avait déposées dans mon sac à souvenirs. Les nœuds sont revenus. Qu'étais-je venu faire ici ? J'ai revu Yvon qui pointait son doigt sur la carte Michelin et, avec le recul, je trouvais la concordance des temps, tout était limpide, ma route tracée. Les mots de mon ami prenaient leur sens, maintenant que je débarquais au pays de son enfance.

C'était un petit émerveillement de chaque instant. Au milieu du ciel, à notre passage, une mouette, puis une autre, et une autre encore nous ouvraient la route et guidaient le chauffeur à lunettes qui essayait d'éviter les nids-de-poule, réduisant sa vitesse, zigzaguant entre les vagues, faisant sursauter un ou deux sièges mal arrimés au plancher rouillé. De temps à autre, au milieu d'un creux, un éclat de mer. Un peu plus tard, mon regard s'égara sur un coquelicot né sur l'accotement de la chaussée, seul, résistant aux gouttes de rosée et aux coups de vent qui tentaient de le plier. Il était touchant. Je voulus le montrer à mes filles, mais elles étaient ailleurs, le nez collé à la vitre embuée du car sur laquelle on pouvait déchiffrer l'annonce « Issue de secours, ne briser qu'en cas d'urgence. »

« Il pleut toujours », a fait remarquer Zola.

J'ai levé la tête et prié le soleil de se montrer le plus vite possible, cette réconciliation avec mes filles valait de l'or pour moi. Il n'a pas bougé le moindre rayon. J'étais navré pour ma petite chérie. Je savais que c'était sa façon de redemander où était sa mère, et moi je ne pouvais lui être d'aucune aide, je n'en savais rien du tout où était sa maman, son visage s'était dilué dans un trou noir. De plus, comble du malheur, les téléphones portables n'ayant accès à aucun réseau, Ouessant était en zone d'ombre, comme on dit chez France Télécom, on ne pouvait même pas passer un coup de fil. Alors j'ai fait une prière en douce à Allah et à Jésus pour qu'ils conjuguent leur miséricorde et amènent le soleil. Il n'y avait pas d'autre issue de secours dans ce cas d'urgence.

Zola a écrit sur la vitre embuée « sale ».

Le chauffeur s'est retourné vers nous. « Pas terrible, le temps, hein ? » Puis il a ajouté que les gens d'ici avaient dans le cœur le soleil qui manquait à leur décor. La lumière, c'était les habitants. J'ai dit c'est bien. Il a expliqué que c'était la raison pour laquelle il portait des lunettes. Elles avaient un but préventif : en cas d'apparition soudaine des rayons lumineux, il les avait sur lui, ce qui lui évitait un accident et une incapacité de travail. Car au volant, la vue c'est la vie, n'est-ce pas ?

Lui aussi soliloquait. Ça n'a fait rire personne. Les cœurs étaient gros. Le temps était gros. Je me suis souvenu qu'on n'avait même pas de cirés. C'est d'ailleurs ce qu'a répété Sofia en voyant le petit déluge dans lequel le car s'enfonçait.

Le chauffeur s'appelait Robert. C'était marqué sur son veston, de manière à ce que, s'il s'égarait dans la lande ou sur des chemins de traverse, on puisse aisément le retrouver. Il nous a déposés au lieu-dit indiqué sur le papier humide. Il supposait que c'était bien là.

« Vous savez, tout le monde se connaît sur l'île », a-t-il

marmonné, l'air de dire que ce n'était pas comme chez nous, dans les villes dépourvues de chaleur humaine où les gens s'éteignent au salon devant la télé allumée, parce que personne ne connaît personne dans les immeubles gratte-ciel.

Cette madame Legris, grâce à ses nombreuses maisons de location sur Ouessant, était connue comme le loup blanc qui dort dans des draps de soie. Robert l'a allumée en breton : « Elle est blindée[1] », j'en ai déduit qu'elle avait un coffre-fort tout confort qui lui permettait de *voir venir*, de ne pas être surprise par les fins de mois qui vous tombent dessus brutalement et vous font du mauvais sang et des cheveux blancs.

Nous sommes descendus du car avec nos petits bagages de citadins. Ma valise sur roulettes bien calée dans ma main, j'avais la dégaine d'un touriste japonais égaré sur l'autoroute des vacances. Robert Redford[2], à son volant, n'a pas pu retenir un rictus de compassion. J'ai bien vu qu'on lui faisait pitié avec nos peaux mates de gens du Sud. Il a dû se demander ce que venaient faire sous la pluie de son pays ces trois clampins[3] en baskets trop propres.

Il a donné un petit coup de klaxon avant de poursuivre sa route entre les nids-de-poule. Et j'ai eu un immense regret en le voyant partir. Je me disais, avant que le *Fromveur* ne retourne à la civilisation, on pourrait peut-être envisager de réembarquer si la demeure ne nous plaît pas, si elle est hantée, s'il y a trop

---

1. A beaucoup d'argent (familier).
2. Acteur, réalisateur, et producteur américain.
3. Individus quelconques.

d'araignées… Le doute m'écartelait. Je crevais d'envie de lui crier, Hep, hep, Robert, attendez, s'il vous plaît, ne nous abandonnez pas ici ! Vous ne voyez pas qu'il va pleuvoir toute la semaine ? Hep, Robert ! Je l'aurais tutoyé, Aide-moi, camarade,
110 tu es mon dernier espoir de ne pas perdre mes filles pendant les vacances. Aie pitié de moi.

C'était le seul type qu'on connaissait dans ce désert de pluie.

En plein trouble, je n'ai pas bien entendu les plaintes de mes filles à l'approche de la maison Legris. Elles gémissaient que ça
115 sentait l'humidité à plein nez, se plaignaient des petites rafales de vent qui fouettaient le paysage et colportaient les senteurs fortes de l'air salin et celles visqueuses des varechs qu'elles découvraient pour la première fois.

Et puis il y avait aussi des bouses de vache sur le chemin
120 devant la bâtisse qui leur provoquait des haut-le-cœur.

« Il pourrait nettoyer, quand même, le maire de la ville ! » a récriminé la petite. C'est comme ça qu'on accueillait à Ouessant les touristes bienveillants qui avaient préféré la pluie d'ici au soleil de l'Algérie ?
125 On entrait dans les revendications politiques à présent, les choses s'envenimaient. Le climat social se durcissait. J'ai juré que dès que nous serions installés, j'allais revenir avec un balai pour nettoyer le chemin.

La lettre de la propriétaire précisait que les clés de la porte
130 étaient cachées sous un coquillage à l'entrée de la bâtisse que protégeaient deux gros massifs d'hortensias d'un bleu délavé.

Les tiges des fleurs étaient rompues sous le poids des gouttes de pluie.

La demeure était une maison simple, à deux étages, avec des volets verts de Bretagne. C'était une maison modeste, avec des bouses de vache devant l'entrée, personne ne pouvait le nier, mais c'était une maison quand même, juste pour nous trois. Elle devait être humide, mais chaleureuse avec des meubles en formica comme on n'en trouve plus sur le continent. J'étais un père heureux, avec ses enfants. Je les avais pour moi, pour de longues journées, avec comme programme « être ensemble » et c'est tout. Manger, lire, rire, se promener, manger, dormir, faire du vélo sur la lande. Rire encore. Parler, peut-être. Mais pas de votre mère, je vous en prie, inutile d'en rajouter, à quoi bon passer sa vie à faire semblant d'aimer quelqu'un, alors que les pétales de l'amour sont tombés, non ! Quand vous serez grandes, vous me remercierez du bon conseil d'Ouessant que je vous aurais prodigué.

C'est vrai qu'elle sentait le bonheur, cette semaine de vacances. Je jurais à tous les dieux que j'allais être à la hauteur. Qu'ils me donnent juste ma chance en m'envoyant du bon soleil, je m'occuperais des détails de l'organisation sur terre.

Les clés n'étaient pas vraiment cachées, seulement déposées sur les marches. Non pas dessous mais près du coquillage, car ici les cambrioleurs ne couraient pas les chemins ni la lande. Un nain de jardin au sourire cimenté se tenait immobile dans un coin, à
5 l'abri d'un saule pleureur. Je lui ai dit bonjour, pour faire sourire mes filles, puis j'ai cherché des yeux les voisins. Seul le ciel nous observait. Il guettait nos réactions, entouré de ses artificiers prêts à larguer sur nous leurs hectolitres d'eau au moindre éclair.

Les mouettes curieuses épiaient nos gestes du haut du toit
10 d'ardoise. Elles avaient suivi le car jusqu'à destination et s'apprêtaient à répandre la nouvelle de notre arrivée.

Dans la salle de bains, les filles ont trouvé que le miroir était immense et très bien sculpté, c'était déjà un bon point, ensuite elles se sont précipitées à l'étage pour choisir la meilleure
15 chambre, les deux avaient vue sur la mer, lorsque les nuages voudraient bien nous laisser la voir, parce que pour l'instant elle était complètement floutée.

« Hou là là, ça sent trop l'humidité. Mais pourquoi ? s'est plainte la petite en se laissant tomber sur le matelas pour en
20 tester la résistance.

– Il ne fait que pleuvoir dans ce bled[1] », a renchéri la grande en ouvrant un placard aux charnières grinçantes.

Et puis on ne voyait rien par les fenêtres à part le rideau de la pluie.

25 Et puis il y avait une horrible araignée dans un tiroir.

---

1. Localité ou lieu très isolé (familier).

Et puis, et puis, épuisé le papa. Le coup a failli partir. Je me suis mordu les lèvres pour ne pas laisser sourdre ma colère.

« Heureusement, y a la télé », s'est rassurée Zola.

Nous sommes ressortis de la maison. Nous avons d'abord laissé passer un troupeau de vaches mouchetées qui rentraient pour le dîner. Elles ne nous ont même pas adressé un regard, concentrées sur leurs sabots qui pianotaient sur le bitume, les mamelles pleines de bon lait breton qu'on pouvait acheter à la ferme, c'était écrit sur un panneau juste en face de chez nous. Mes filles ont porté les mains à leur nez pour se protéger des relents des bouses et ont proféré quelques onomatopées supplémentaires contre les incivilités des bovins et l'incompétence des autorités municipales. J'avais déjà remarqué que même les crottes de chèvre provoquaient chez elles cette réaction hautement urbaine. Comment auraient-elles pu vivre dans les ruelles d'un village d'Algérie pleines de moutons, de biquettes, de vaches, de dromadaires, d'ânes, de chats et de chiens, d'iguanes et d'enfants cul nu ? J'avais eu mille fois raison d'opter pour Ouessant.

Zola a trouvé que si le lait des vaches sentait aussi fort que leurs bouses, elle n'allait pas en boire de si tôt. Le fermier pouvait attendre la saint-glinglin. J'ai fait remarquer que les produits en question ne sortaient pas de la même source, mais elle était déjà loin.

Nous avons vite contourné le pâté de maisons pour arriver aux falaises à quelques centaines de mètres derrière notre demeure. Angoissées, mes filles ne voulaient pas approcher trop près des dents de requins, craignant de déraper sur la pierraille

et de valdinguer trente mètres plus bas, à l'endroit où on apercevait de petites criques qui tenaient blotties des embarcations
55 aux mâts figés.

J'ai proclamé que personne ne valdinguerait nulle part tant
que je serais là. Je veillais sur tout. Elles ont souri en chœur.

Quelques nuages de traîne teignaient la surface des eaux
d'une lueur fantomatique. Dans le pli des roches, au creux des
60 jeux d'ombre et de lumière, j'imaginais des secrets accumulés,
de gros oiseaux sombres, les ailes repliées dans leur plumage,
qui attendaient leur heure, peut-être le retour d'un chalutier
pour le prendre d'assaut et dîner à l'œil.

Et le silence. C'est cela qui m'apportait l'apaisement. Dès
65 mon arrivée sur l'île, le moustique enragé qui bourdonnait
dans mon tympan avait trouvé la sortie. Je pouvais dormir à
présent, connaître la douceur du repos. C'était l'armistice[1] dans
mes oreilles. Les fantômes étaient lessivés : celui du juge des
affaires familiales, de l'avocat en robe noire qui, au fil du dos-
70 sier, trouvait ma femme pas si mal que ça. L'expression m'avait
marqué : Que ça quoi ? j'avais envie de lui demander d'homme
à homme. Il voulait sans doute me dire « Tu veux divorcer de
cette belle femme, mais tu es fou ! Un tiens vaut mieux que
deux tu l'auras ! »

75 Et il y avait surtout cette fonctionnaire venue m'interviewer
pour ma demande de garde alternée. Embusquée derrière ses

---

1. Sorte de paix provisoire, momentanée.

lunettes de la Sécu, elle m'avait bouleversé avec sa question :
« Serez-vous en mesure d'assurer l'éducation de vos filles ? »

J'avais quarante ans, nom d'un chien ! L'interrogatoire
m'avait déglingué. La dame prenait des notes sur son calepin,
assise sur mon canapé, bien droite, les genoux serrés, comme
pour ne laisser filtrer aucun doute sur ses intentions. Lors de
mes déplacements pour mon travail – elle avait lu dans le dos-
sier de divorce qu'ils étaient nombreux –, comment allais-je
procéder pour surveiller mes enfants, leur prodiguer la stabilité
paternelle nécessaire à leur développement ?

Ses mots de mécanique judiciaire étaient des pieux. Ils
s'enfonçaient dans mes oreilles. Ils me défonçaient. Être en
mesure de, procéder à, prodiguer, stabilité… je ne pouvais
plus entendre ça. Je m'étais concentré sur ma respiration pour
éviter de lui sauter au cou. Je me disais, non, non, ne fais pas
ça, tu vas le regretter toute ta vie, tu vas payer dix ans, pense à
quelque chose de positif. Alors j'ai pensé à ces gamins qui couraient comme des dauphins le long du train qui reliait Alger à
Sétif, proposant des figues de Barbarie, des bouteilles d'eau…
Quand il atteignait les hauts plateaux et se mettait à peiner,
perdant de sa vitesse, des nuées d'enfants décollaient comme
des étourneaux[1] des alentours. Ils se ruaient sur le train pour
le prendre d'assaut en braillant, la morve au nez, pieds nus, les
bras écartant le ciel pour se frayer un passage vers l'eldorado qui

---

1. Petits oiseaux.

passait en toussant. Certains tendaient la main pour recevoir des pièces que les passagers leur lançaient, les plus commerçants tentaient de refourguer leurs marchandises, des casse-croûte enveloppés dans du papier journal, des bouteilles de Coca-Cola, de Fanta ou de Sélecto, des pistaches, des cacahuètes, des cigarettes au détail... Un petit vendeur de figues de Barbarie criait : « *Haou el Hindi, Haou el Hindi, el mouss min rindy !* Achetez mes figues, je les épluche moi-même avec mon couteau ! » J'étais fier que mes parents m'aient appris la langue. Ici, je n'étais pas étranger. À côté de lui, un vendeur d'eau fraîche, Viking blond aux yeux bleus, surprenant par son agilité à éviter les pierres saillantes. Il devait, tout en courant, emplir un verre d'eau avec sa gourde pleine, le servir au client, reprendre le verre une fois vidé, encaisser sa pièce, un art dans lequel les valeureux desperados des hauts plateaux étaient passés maîtres.

Sur les frimousses des enfants, des sourires s'étiraient. Leur façon de jouer au petit train les comblait de bonheur. Puis, quand la locomotive reprenait de la vitesse et que les voyageurs leur lançaient les derniers verres, les bouteilles consignées, des pièces de monnaie, ils se roulaient dans la poussière pour les ramasser et, progressivement, leurs piaillements se fondaient dans les airs, le train filait son chemin dans le crépuscule. Depuis les marches, je me remplissais de la quiétude qui planait sur cette terre tranquille. J'avais un pays.

« Vous n'ignorez pas que les enfants ont besoin d'un père stable pour grandir normalement ? »

La voix m'a sorti de mon voyage.

Le dos au mur, face à la femme de marbre, je me suis ressaisi. Je me suis défendu calmement : mes deux trésors n'avaient pas besoin de surveillance particulière, j'avais une flopée de frères, sœurs, neveux, nièces et parents qui ne demandaient qu'à s'occuper d'elles, ils les adoraient encore plus que moi, chez les *Ouled Bendiab* l'éducation était une affaire de tribu, pas seulement d'individus, et je n'avais pas besoin de textes législatifs pour assurer mon devoir de père. J'avais donné ma parole d'homme. La dame a répondu : « On en a vu d'autres. »

Elle m'a saccagé. Elle a parlé de jurisprudence et de je ne sais quoi d'autre encore. Je n'ai pas polémiqué. Mais après trois questions administratives, la pression est remontée. La dame voulait me faire craquer. Face à cette intruse qui me récitait des leçons de la fac de droit ou de psychologie, je me maudissais d'en être arrivé là.

J'aurais voulu faire marche arrière : effacer le cauchemar, re-aimer ma femme, me re-marier, re-commencer, re-essayer d'être heureux – tout, pour ne plus entendre cette dame en noir. On pouvait appuyer sur la touche *rewind* dans la vie, non ? Faire souffler le vent contraire. Machines arrière, toutes ! Où était-elle, cette touche ? J'ai serré ma lèvre inférieure entre mes dents. Ça saignait. Je me suis levé et j'ai dit : « C'est fini. »

On sent la force d'une phrase au ton de son dernier mot. À son son. Une lame de guillotine. Après, il y a eu un sacré trou. Mon passé s'est contracté en peau de chagrin, laissant se profiler les aléas d'un avenir à gros risques. J'étais dans un sale pétrin.

La dame a haussé les sourcils. « C'est fini quoi ? » Toujours
155 assise sur le canapé, le calepin sur les genoux.

J'ai dit : « L'entretien, c'est l'entretien qui est fini. »

Des loupiotes se sont allumées dans son regard. Son visage
s'est marbré. Elle a fait trembler ses narines, puis a averti :
« Vous savez ce que ça veut dire…

160 – Je n'en ai cure[1].

– …que la garde alternée est aussi finie, je dois consigner
dans mon rapport votre refus de répondre aux questions de
l'administration. Si j'étais vous…

– Sortez, je vous en prie ! »

165 Elle m'a fixé du regard. Pour m'immobiliser. Pour savoir.
Il n'y avait plus rien à savoir. Tout était *consigné*, comme elle
disait. Elle a fermé le calepin. Elle a osé demander si je ne
regretterais rien. J'ai ouvert la porte. Elle s'est levée. Elle a réa-
justé sa jupe. J'ai baissé mon regard vers ses jambes. Elle a vu.

170 Elle est partie.

J'ai perdu la garde alternée.

Mais à peine était-elle sur le palier que je regrettais déjà de
ne pas l'avoir insultée en breton, en français, en arabe et en
kabyle. J'ai envoyé un coup de pied dans le canapé, là où elle
175 était assise. J'aurais dû tout lâcher. Cela m'aurait libéré. Au
lieu de ça, j'ai pleuré de rage. Je me disais, si mon père me
voyait en train de vagir comme un bébé dans sa poussette, ce
serait une sacrée honte. J'avais souillé l'honneur de la tribu.

---

1. Cela n'a pas d'importance pour moi, peu m'importe.

Heureusement, John Wayne était loin de tout cela, au royaume du confort éternel, loin de ce bourbier. Je lui épargnais mes crampes de divorcé.

Après la visite administrative, j'ai contracté un ulcère à l'estomac. Et j'avais une vision alternée de mes filles. C'étaient mes enfants des vacances. Mes filles du week-end. Une amputation de moitié. Dans la salle de bains, à chaque fois que je m'approchais du lavabo, je vomissais. C'est aussi à cette période que mes troubles du sommeil ont démarré.

Alors, à Ouessant, je marchais sur des œufs, attentif au moindre détail. Rien ne devait ternir l'instant fragile de nos retrouvailles. Chaque risque de divergence devait être anticipé et éradiqué[1]. J'avais les yeux périscopiques, pire que mon père sur le pont du *Ville-de-Marseille*, lorsque le soir nous sommes entrés dans le village, mes filles derrière et moi devant. Les ruelles vides et muettes exhalaient une odeur de varech et de poisson qui était encore plus toxique que les bouses de vache devant notre maison, à en croire Sofia, notre *nez*. Depuis une petite place centrale, on apercevait la mer noire et froide, grondant, qui entamait sa descente, et le long de la plage, de grosses barques qui dormaient sur le flanc comme des cachalots morts. En déambulant dans les venelles pour choisir un restaurant, nous sommes passés devant un loueur de bicyclettes et mes deux trésors ont suggéré de revenir le lendemain en louer

---

1. Supprimé.

une pour la semaine. C'était une super idée. J'étais d'accord. Follement. De tout mon être. Un projet commun : pour créer
205 du lien.

Les vélos étaient de toutes les couleurs, contrairement à l'île grise. Ils allaient mettre des épices dans notre séjour. J'ai eu une poussée de bonheur, surtout en voyant le violet qui m'a offert une bouffée d'enfance. Je l'ai contenue pour ne pas déclencher
210 les représailles du mauvais œil.

Ouessant. Première nuit. J'avais commencé la lecture du seul roman que j'avais apporté, quand une pluie d'abord en biseau, puis en marteaux, s'est mise à cogner le toit. Les dieux faisaient une grande lessive d'été. Ils essoraient les nuages à pleines
5 mains. Les fantômes de l'île voulaient nous renvoyer au bled. Ouessant testait les résistances de ces trois pèlerins qui avaient osé venir la narguer chez elle, ces embourgeoisés râleurs qui se moquaient des vaches et vilipendaient[1] le service de ramassage de la mairie.
10   J'avais peur que mes filles paniquent sous les rafales, alors je me suis posté devant l'entrée de leurs chambres et j'ai fait le guet une bonne partie de la nuit, une lampe torche à la main. Des éclairs fluorescents fouettaient le ciel, déchiraient les constellations en mille éclats de miroir et, quelques secondes
15 après une accalmie suspecte, on entendait des obus qui tombaient autour de notre maison, la bourrasque battait les vitres, inondait les massifs d'hortensias, le nain de jardin ruisselait, son visage flashait sous les éclairs, les branches du saule pendaient dans un abandon de noyé.
20   Mais le tapage nocturne ne perturbait pas le sommeil de mes filles, alors j'ai dit à la nuit : « Tu as vu, nous n'avons pas peur de toi, tu peux continuer à t'épuiser si ça te chante, mais tu peux arrêter aussi, ça nous fera des vacances. »
     Je soliloquais dans la pluie française comme mon père face
25 au soleil algérien qui fendait les carreaux de sa terrasse. Elle m'a

---

1. Traitaient avec mépris.

entendu. Elle a capitulé. Elle a dû se demander où j'avais appris la langue des éléments. Brusquement, la guerre a cessé. Les éclairs se sont repliés. Je suis retourné m'allonger, fier, l'esprit libre pour reprendre ma lecture.

30   L'histoire que je lisais se déroulait en pleine guerre d'Algérie. Elle racontait l'amour entre le jeune Ali et la belle pied-noir, Maria, que l'indépendance du pays déchire et sépare. Il veut être libre et indépendant, elle veut aimer son prince charmant. Elle voudrait bien commander pour son trousseau de mariage
35 la maison des trois petits cochons, celle qui résiste à tous les assauts des loups racistes, mais il ne veut pas entendre parler de ces bêtes impures. Ils ont peur tous les deux de vivre leur bonheur et de perdre leurs attaches. S'ils ont des enfants, il n'y aura pas de livres avec des illustrations représentant des cochons, il
40 dit et redit que cela est contraire à sa religion, alors ils laissent la guerre gagner contre l'amour, meurtrissant leur cœur à jamais… L'amour est un cabanon de paille et de brindilles. L'amour est un coquelicot. Le lendemain, au réveil, c'est ce que je dirai à ma cadette pour parler du désamour avec sa mère
45 qu'elle aimait plus que tout au monde : « Tu sais, l'amour, faut pas y toucher. Sous peine de peine. »

Le roman avait un beau titre : *Je pars*. Au stade de ma lecture, on ne pouvait pas encore savoir lequel des deux amants partirait. Ou peut-être était-ce l'amour qui partirait, tout sim-
50 plement, déçu par ces êtres méandreux[1]. Je me suis endormi

---

1. Qui ne suivent pas une ligne droite.

avec une ancre de bateau sur la poitrine. Un enfoncement.
J'ai toujours fui l'amour et j'ai cherché des îles désertes pour
me cacher derrière les plis des falaises et ne plus penser à rien,
replié comme un oiseau dans la roche. J'ai connu la guerre du
désamour. Tous les jours, j'ai vomi. Jusqu'au tarissement de la
source. Mon besoin de consolation était impossible à apaiser,
comme disait Malik qui passait sa vie à lire au lieu de la vivre.
Sur le pont du *Ville-de-Marseille* qui nous emmenait chez nous,
il avait répété plusieurs fois en cherchant des étoiles filantes :
« Moi, la vie, je préfère la rêver. »

Je ne comprenais pas ce qu'il voulait dire. Je ne demandais
même pas, ces mots me faisaient peur. Il l'a tellement rêvée, la
vie, qu'un jour dans un virage, il n'a pas vu la flaque d'huile
qui l'attendait, la roue avant de sa moto a dérapé et le rêve s'est
terminé contre le tronc d'un platane. Sous le choc, l'arbre a
presque été coupé en deux. Des détails comme ça ne s'oublient
jamais. Je me souviens aussi de ma mère quand un policier est
venu annoncer le malheur à la maison. Elle a ouvert la porte,
elle l'a écouté et elle n'a pas compris ce qu'il racontait. Ou plutôt, elle a tellement eu peur d'avoir compris qu'elle m'a appelé
pour que je comprenne à sa place. Elle ne cessait d'insulter le
messager dans la langue de chez nous. J'ai dû traduire la nouvelle, nom de Dieu, jamais une traduction ne m'a paru aussi
dure. J'avais l'impression qu'en acceptant de le faire, c'est moi
qui allais tuer Malik. J'ai traduit. Je n'aurais pas dû. J'ai toujours été convaincu que si on ne met pas de mots sur les choses,
elles n'existent pas. Chaque mot, une chose. Pas de mots, pas

de choses. Elles n'existent pas. Elles restent sur le seuil comme des idées, des augures.

80   Ma mère aurait dû refermer la porte.

Rien ne serait arrivé.

Elle l'a ouverte,

Malik est décédé.

Plus tard, elle avait exigé de se rendre sur le lieu du malheur.

85 C'est mon grand frère qui nous a emmenés dans sa Traction avant noire, dont les sièges étaient imprégnés d'une forte odeur d'un mélange d'huile et d'essence. Ma mère voulait renifler les esprits qui lui avaient pris son fils. Elle avait besoin de les défier sur leur terrain. C'était l'aube d'un jour de France des années

90 60. Dans sa robe berbère à dominante orange, la tête enveloppée dans un foulard bleu clair, seule au milieu de la chaussée, elle a longtemps observé la tache d'huile, avant de s'agenouiller et de poser d'abord sa joue, puis son doigt dessus. Elle a dit des mots de sa langue natale. Je me souviens de la gueule de

95 l'arbre : il avait l'air de s'excuser d'avoir été là, au mauvais moment. Sa cicatrice était purulente. Ma mère a mis la main dedans, comme sur le dos d'un animal. Elle a pleuré des mots. Les mots étaient des clous. Ensuite, elle est allée s'allonger dans sa robe de là-bas au milieu de la chaussée d'ici, les deux bras en

100 croix, attendant dans cette position que les anges viennent la chercher dans leur ambulance immaculée pour la mener au ciel près de son enfant. On a été obligé de la soulever comme un vieux sac fatigué. On est tous remontés dans la Traction avant noire et on est retournés chez nous sans un mot.

Tôt, le soleil a envoyé un rayon sur notre maison pour voir où nous en étions. Les fantômes, cette fois, se sont déguisés en fées. Je me suis extasié de cette intrusion lumineuse, mais le rayon s'est aussitôt retiré pour ne pas me laisser le temps de m'emballer. J'avais décidé que ce jour serait un bon jour, rien ne me détournerait de cette disposition. J'ai enfilé mes baskets et je suis allé courir sur les falaises. Direction le phare.

Grisé par l'encens des bruyères cendrées et de l'armérie[1] dont l'île était parsemée, le visage massé par le vent, je courais au ralenti pour retarder le temps, dégustant chaque foulée comme un petit présent.

Je vibrais d'une jouissance exquise à me mouvoir sans fatigue comme une hirondelle. De petits lapins sauvages passaient en bondissant devant moi au milieu des genêts[2] et de la callune[3]. La mousse de la lande accueillait la plante de mes pieds et la caressait. Je volais sur une ligne imaginaire tracée par deux cigognes, avec à ma gauche les petites maisons blanches d'Ouessant qui se laissaient dorer la façade par la clarté de l'aube, et à ma droite, en contrebas, les vagues qui s'affairaient à leur labeur de sape contre la roche, inlassables armées de fourmis bleues et blanches.

Mon *ici* et mon *là-bas* s'étaient rejoints.

Le cliquetis des mâts des voiliers rythmait cette harmonie matinale. Des mouettes me criaient des encouragements. Puis,

---

1. Plante herbacée.
2. Arbustes de couleur jaune au moment de la floraison.
3. Plante vivace.

25 après que mon corps se fut échauffé, je n'entendis plus d'autre bruit que le murmure proche du flot qui roulait sur les galets et la rumeur de la terre qui glissait sur les ondulations des vagues. Malik était avec moi.

Rien n'était fini.

30 Deux heures plus tard, j'étais de nouveau à la maison. Je suis entré dans la cuisine sur la pointe des pieds. Le tic-tac de l'horloge murale battait la cadence et remplissait la pièce, ricochant contre les meubles de formica. J'ai écrit mes pensées sur mon carnet de bord, en attendant le réveil de mes filles. Les mots 35 coulaient de source.

Elles ont émergé à midi, en pleine forme. J'aimais les voir ainsi. Je me persuadais qu'elles oubliaient la pluie et les orages que je leur avais fait subir ces dernières années. La petite Zola m'a demandé ce que j'avais prévu. J'ai répondu des *activités*, 40 comme on dit dans les centres aérés et les clubs de vacances conçus sur mesure pour pères avec enfants à charge.

Après le petit déjeuner, nous sommes partis louer les bicyclettes multicolores. La perspective de ne plus marcher réjouissait Zola. Dehors, la pluie en fils de plomb comme un grillage 45 n'a pas entamé notre bonne humeur ni notre détermination à faire du vélo. Zola a fait remarquer que s'il avait fait beau, nous aurions pu déjeuner en terrasse, sans omettre de faire référence à tous les veinards qui se pavanaient en ce moment au bord de la Méditerranée, côté français ou algérien.

50 J'ai encaissé.

Devant l'entrée principale de la maison, elle a de nouveau ouvert la boîte aux lettres de madame Legris. Il n'y avait que des prospectus à l'intérieur. Elle l'a refermée. Elle m'a regardé. Je l'ai regardée.

J'ai ouvert la porte du magasin de location Le Bihan Cycles. Des clochettes du Moyen Âge ont annoncé notre arrivée. Une dame nous a accueillis. Elle était belle, avec des yeux noisette et une fine frimousse que sa coupe de cheveux à la Mireille Mathieu[1] mettait joliment en valeur. Elle irradiait la gentillesse avec son sourire qui flottait de ses lèvres jusqu'à ses yeux. J'étais rassuré par ces indices extérieurs de richesse intérieure. Nous étions en de bonnes mains. À nouveau, les cerisiers et le lilas refleurissaient dans mon jardin. Un jour, je retrouverais un bel amour, j'en étais sûr. Et pourquoi pas sur cette île ? Un beau matin, je tomberais sur une sirène en train de prendre un bain de soleil sur la lande, elle aurait de longs cheveux roux qui descendraient jusqu'aux chevilles, des yeux vert émeraude, des dents si blanches qu'elles donneraient envie de les croquer.

Pendant que nous commentions les volte-face de la météo avec madame Le Bihan, un homme au fond du garage réparait le dérailleur d'une bicyclette. Le teint de son visage rappelait la mer Méditerranée, le métèque, le Juif errant ou le pâtre grec[2] sans les cheveux aux quatre vents. Accroupi en sauterelle, les

---

1. Chanteuse française.
2. Citation des paroles d'une chanson de Georges Moustaki, *Le Métèque* (1969).

manches de chemise retroussées, il faisait le maréchal-ferrant
75 devant la machine. Subrepticement[1], il jetait des coups d'œil
dans notre direction. À un moment, j'ai croisé son regard et j'ai
senti qu'il voulait nous parler, mais son travail devait requérir
toute son attention, alors il préféra rester concentré sur ses
outils.

80   « Bonjour », je lui ai dit à voix basse. Il m'a répondu d'un
faible signe du menton. Peut-être était-il réticent aux étrangers.
Puis il a murmuré : « Vos filles sont jolies. » Ensuite, il s'est
replongé dans son dérailleur à dix vitesses.

     Madame Le Bihan voulait savoir de quelle région nous
85 étions. Zola a tout de suite lancé : Lyon. On aurait dit qu'elle
attendait la question. Elle était fière de sa ville et personne ne
pouvait la prendre de vitesse sur ce terrain des racines. Son
grand-père maternel lui avait même enseigné que la cité de
Lugdunum comptait trois fleuves : le Rhône, la Saône et le
90 beaujolais ! La dame a estimé que c'était en effet une belle cité,
bien arrosée, comme Ouessant, elle y était passée une fois,
rapidement, en voiture, en plein mois d'août, sous le tunnel
de Fourvière. Certes, elle n'avait pas vu grand-chose à cause
des bouchons, mais il lui avait semblé, de loin, que les paysages
95 étaient agréables. Et puis elle connaissait la réputation des
autres bouchons[2] lyonnais, du saucisson appelé la « rosette »,
et bien sûr de Guignol la marionnette. Tous les clichés qui

---

1. Furtivement.
2. Petits restaurants populaires typiques de la ville de Lyon.

m'insupportaient. Pour l'arrêter, j'ai demandé au mari si lui aussi connaissait Lyon. Sa femme a tourné la tête vers lui avec un demi-sourire, et il s'est vanté de n'être jamais sorti d'Ouessant, tout juste s'il était allé à Brest, alors Lyon, vous savez, il ne pouvait pas en dire grand-chose à part les clichés que madame venait de nous servir et qui devaient certainement nous lasser, il s'en excusait pour elle.

Elle a rouspété amoureusement. J'ai dit que moi j'étais bien heureux de connaître Ouessant.

Après ces premiers échanges qui agaçaient mes filles, l'homme est allé dans la cuisine attenante et il en est revenu avec un paquet de crêpes maison enveloppées dans du papier alu. Il les a tendues à Zola, tout en caressant ses cheveux mi-blonds mi-châtains. Il a dit qu'elle ressemblait à une Espagnole. Elle a adoré. Elle a expliqué qu'elle devait y aller en vacances avec sa mère mais qu'hélas le voyage avait été annulé. Avant qu'elle ne termine sa phrase, l'homme avait disparu en nous souhaitant un bon séjour sur l'île.

J'ai dit *kenavo*, pour lui montrer ma volonté d'intégration.

Sa femme était émue.

Les jours suivants, mes filles et moi avons parcouru l'île en nous laissant guider par les sentiers qui lézardaient les falaises, recouverts de mousse broussailleuse et épineuse, tachés de jaune moutarde et de violet. De tous les côtés, la mer jouait à cache-cache, cherchait à nous happer et balbutiait un mélange de rumeurs étranges que transportait l'air si doux. J'oubliais peu à peu de me méfier de ces chants de sirènes, je me mettais à rêver d'amour, et ça se terminait par un vertige mélancolique, des frissons me hérissaient puis me tiraient des larmes.

« Regardez comme c'est beau ! » j'ai susurré à mes filles.

Elles ont ri, puis répété en chœur : « Regardez comme c'est beau ! » en imitant ma moue de figue séchée.

J'ai changé de ton et j'ai demandé pourquoi elles se moquaient de moi, c'est vrai que le spectacle était saisissant, non ? On n'est pas obligé de toujours se taire devant la splendeur de la nature.

« Ça fait dix fois que tu le dis ! » elles ont asséné.

Je me suis excusé d'être un vieux père radotant.

« C'est quoi un ragoûtant ? a questionné Zola.

— Quelqu'un qui passe dix fois devant une fleur et qui répète dix fois c'est une belle fleur, c'est tout, un vieux qui glisse un doigt sur son âge et qui radote dix fois que la vie est belle, nom de Dieu, chaque jour il l'enlace, il sait qu'un arbre est là, dans le virage du jour qui passe. »

Surprise, elle a hésité un instant avant de conclure que les répétitions dans les rédactions à l'école faisaient perdre des points. J'ai dit : « D'accord, fais à ta guise », une autre expression-phare de Malik, et j'ai laissé mon regard errer à nouveau.

Sans la bande-son, cette fois.

30 Soudain, une idée de génie m'est venue. « Je vous paye une glace ? »

C'est le genre d'initiative que je ne prenais pas souvent, a fait remarquer la petite.

« Hé ! bien vue la double négation. Quand on sait ce qu'on 35 veut, on met les formes, n'est-ce pas ?

– Comment ? »

Je soliloquais de nouveau.

Toutes les deux avaient remarqué que je parlais à la nuit et cela les inquiétait. Elles croyaient qu'il y avait des esprits en 40 moi. En vérité, c'était un effet de la solitude. Je me parlais et maintenais ainsi le contact avec moi-même. Je faisais les questions et les réponses, le loup et l'agneau, le juge et l'avocat, la défense et l'accusation. Quand les débats battaient leur plein, ça résonnait en moi comme dans un pub irlandais. Lorsque 45 ce n'était pas Malik qui revenait, les discussions tournaient autour du tribunal de la famille, des prestations alimentaires et compensatoires et autres détails du jargon des amarres rompues de l'amour.

La nausée n'était jamais loin.

50 Dans mon appartement de Lyon, un week-end où j'avais la garde de mes enfants, j'avais sursauté en pleine nuit et ouvert grands les yeux, la petite Zola était devant mon lit et secouait

timidement mon épaule. Je m'étais redressé comme un clapet
à ressort. Elle avait murmuré : « Tu parles trop fort, papa, tu
55 m'as réveillée. »

Je m'étais excusé.

« Et tu ronfles, aussi », elle avait ajouté.

Il était 3 h 14. Je me souviens avec précision de l'heure, les
minutes comptent dans ce type de réveil à l'arraché. Depuis
60 des mois, c'était mon heure fatidique, mon passage à niveau.
Les fantômes qui m'habitaient donnaient rendez-vous à ceux
qui me hantaient à cette heure-là, si bien que souvent je
me réveillais à 3 h 12 par anticipation pour me préparer au
combat. Un homme averti en vaut deux. J'étais lessivé. Deux
65 cachets de Temesta[1] n'y faisaient plus rien. Mon organisme
était en guerre contre moi. Il voulait ma peau.

---

1. Nom d'un médicament servant à traiter l'anxiété, l'angoisse, l'insomnie.

Pris rythme de croisière, j'ai écrit sur mon carnet de bord. Chaque matin, après la dissipation des brumes matinales et mon café accompagné de galettes bretonnes, je jetais mes impressions de la veille sur des feuilles blanches, puis mes foulées m'em-
5 menaient sur la mousse, au bord des falaises. Jusqu'au phare. L'après-midi, nous retournions à vélo en famille le contourner pour admirer le rail d'Ouessant qu'empruntent des files de navires chargés comme des mules d'acier, en partance vers les pays lointains. Les éclats de lumière du soleil déclinant enflam-
10 maient les façades des containers multicolores, transformant les bateaux en objets volants non identifiés, puis allaient ricocher sur la surface de la mer avant de mourir en embrasant les vagues.

Chaque jour, Zola inspectait la boîte aux lettres de madame Legris. Elle attendait. Chaque jour, elle voyait que je voyais.
15 Le phare était majestueux. Dieu tout-puissant, comme c'était vrai ! Il faisait la passerelle entre le ciel et la terre, les humains et le divin, le bleu d'en bas et l'azur des cieux. J'avais retenu de mes années collège le mot allemand *Leuchtturm,* la « tour de lumière », il est toujours agrafé à mon cœur à côté de
20 ceux que mon ami Yvon dédiait à Ouessant. Il était élégant à prononcer. Sa sonorité mélancolique m'avait séduit.

Tant de poètes avaient déjà, cheveux aux vents, tagué leur prose sur ces monuments qui se hissent au ciel, pour dénoncer écueils, récifs et autres brisants.
25 J'avais envie d'ajouter ma pierre à l'édifice poétique, mais la voix terrestre de la raison m'a rappelé à l'ordre :

« On dirait que t'as jamais vu un phare ! »

De nouveau, mes filles se moquaient de mon extase, cette fois sans double négation. Je me suis défendu :

30   « Mais regardez ! On dirait un cyclope avec l'œil en feu, non ? »

Je cherchais ma voix : « Sentez la poésie de ces mâts de cocagne[1] posés là pour prévenir les risques de la navigation à vie.

– La navigation à vue ! » a corrigé Sofia en maugréant qu'elle
35 ne s'était pas laissé prendre par mon jeu de mots enfantin.

Elle n'était pas née de la dernière pluie. Elle trouvait que j'abusais des métaphores, cela finissait par la fatiguer et ça manquait de naturel. Fatalement, ce qui devait se produire se produisit : l'autre en a profité pour me rappeler qu'à force de cher-
40 cher des faux-fuyants, « tu n'as jamais dit "je t'aime" à maman ».

Je me suis redressé comme un clou sur sa pointe.

« Qui t'a dit ça ?

– Je le sais, c'est tout.

– Alors, tu ne réponds pas ? a fait l'autre. Tu ne trouves pas
45 une métaphore pour t'esquiver ? »

C'était vrai, j'évitais les mots d'amour. J'avais peur qu'ils m'enchaînent, m'entraînent trop loin et me lâchent en plein virage contre un platane.

Sofia a dressé un procès-verbal : « Tu as vu ? »

50   Un constat d'huissier. Selon elle, les oreilles des filles ont besoin d'entendre régulièrement des mots d'amour, sinon elles partent ailleurs chercher de la douceur. Ça marche comme ça,

---

1. Sorte de poteau glissant au sommet duquel sont suspendus les objets qu'il faut aller décrocher pour les gagner.

les filles. Et moi j'étais passé à côté de ce qu'elle semblait consi-
dérer comme l'essence même de la vie.

55   Je n'avais jamais acheté de fleurs à mon épouse.

« Qu'est-ce que vous racontez ? »

Elles ne m'ont même pas proposé l'oral de rattrapage. J'étais
minable. J'ai baissé la tête. J'ai repensé à Louise Batesti à qui
j'avais dédié tant de poèmes, mais à qui je n'avais jamais dit un
60   mot d'amour. Et puis je n'avais jamais vu mon père embrasser
ma mère de toute ma vie. Je ne l'avais jamais vu lui tenir la
main, même après la mort de Malik. Il était allé pleurer tout seul
dans un coin pour cacher sa peine et ne gêner personne. Chez
les Arabes, on ne pleure pas dans le camp des hommes, même
65   pas pendant les enterrements. Les femmes s'en occupent. Elles
se lacèrent les joues en hurlant pour bien creuser leur douleur
jusqu'au sang. Les hommes restent secs. C'est leur sort, ne jamais
fondre. Les hommes sont des montagnes, les femmes des rivières.

« Ça y est, t'as fini de rêvasser ? »

70   Zola me secoue de nouveau par l'épaule. Elle trouve que je
suis trop tête en l'air et que dans un monde truffé de falaises,
c'est une défaillance.

« C'est normal, il est verseau », dit Sofia à propos des gens
qui planent et qui ne disent jamais de mots d'amour.

75   La chaîne du vélo de Zola a sauté. C'est la deuxième fois.
Ma princesse en a par-dessus le guidon. Elle est énervée. Encore
sa mère dans ses pensées. Ça se voit au milieu de son visage
comme un *Leuchtturm* sur un rail d'Ouessant.

J'ai remis la chaîne. Nous sommes sortis de la zone d'ombre

80 du phare en quelques coups de pédales énergiques. Zola est restée à l'arrière pour faire de la résistance.

Direction centre-ville.

Restaurant.

Glace Magnum.

85 Chocolat.

Fruit de la passion.

Star Academy.

La civilisation !

Le verbe « rêvasser » est moche. Je ne me suis pas gêné pour 90 le dire à mes filles.

Le soir, tôt, elles sont montées se coucher. L'air marin et ses embruns salés n'y étaient pas allés de main morte.

Au rythme du tic-tac de l'horloge, j'ai poursuivi la lecture de mon roman, et je me suis retrouvé en pleine tourmente, avec de 95 gros risques de me réveiller à 3 h 14. Je pensais à notre maison en Algérie, je voyais un bateau qui manœuvrait pour entrer au port, sans succès, les flots le repoussaient au large à chaque nouvelle tentative. Dans le lit, je ne trouvais aucune position confortable pour me délester de mes pensées. Une armée 100 d'ombres en a profité pour forcer ma rade. Yvon Le Guen était parmi elles. Où se trouvait-il en ce moment ? Avait-il planté de nouvelles racines aux antipodes ? Dans mon rêve, je parlais avec lui, avec des mots d'une langue inconnue, et cette conversation a occupé mon esprit contre les tentatives d'intrusion de 105 Malik. Car mon frère venait rôder sur mes falaises. La terre

avec ses mers et ses océans lui manquait. Sa *Moto Guzzi* aussi.
Il demandait si quelqu'un avait pris soin de la mettre au garage
le temps de son absence, il me recommandait de surveiller la
chaîne de distribution qui risquait de casser à tout moment. Je
ne sais pourquoi, l'image de Le Bihan se dessinait aussi sur le
sable de mes rêves. Je transpirais. Je me suis levé. Je suis sorti
sous la nuit. J'ai respiré. Il n'y avait aucune étoile filante dans
le ciel. Aucune étoile du tout. Juste moi, le noir et le nain de
jardin, avec son regard de psy.

J'ai des poches sous les yeux, où sont stockés tous les résidus de mes cauchemars. Ce matin, le programme est simple : retourner chez Le Bihan Cycles pour changer le vélo de Zola. Sa chaîne s'est carrément enroulée autour du dérailleur et elle
5 est en pétard contre le monde entier, elle veut rentrer chez elle maintenant, marre de chez marre, c'est décidé, la nuit lui a porté conseil, un besoin pressant de fuir Ouessant.

Soudain, il y a eu un orage imprévisible, de l'électricité dans l'air, un court-circuit, puis une déflagration. Dressé face aux
10 vagues, je me suis cogné la poitrine avec mon poing fermé, pulvérisant au vent toute la colère que je comprimais au fond de moi.

« Et le besoin de père, quand est-ce qu'il va venir, hein ? »

Je me suis mis à dérailler. *Le wonder dad*, il aimerait bien
15 qu'on lui parle plus gentiment ! Qu'a-t-il fait de mal pour mériter pareil châtiment ?

« Ce n'est pas parce que je n'ai jamais su dire de mots d'amour que je dois en payer le prix toute ma vie ! D'autres en disent à tout moment, mais ne les pensent pas un instant. Moi
20 je n'en dis pas, mais je les pense tout le temps ! »

Le sang m'était monté au cerveau. La coupe était pleine. Le métier de père n'est pas fatalement un martyre, que diable ! J'allais montrer à ces deux juges des affaires paternelles de quel bois je me chauffais. J'ai préparé deux ou trois mots qui tuent,
25 mais au moment où j'ouvrais les vannes, paré à faire parler la poudre, Zola a posé son regard dans le mien et elle m'a demandé :

« On pourra acheter un chien ? »

Aussitôt, j'ai dégazé. Impressionnant de voir comment
30 quatre mots suffisent à enrayer les risques d'infanticide. J'ai
dit : « Quand ? »

C'était sorti tout seul. L'acte était signé. Le chien déjà à la
maison. J'allais entériner l'affaire, mais Sofia s'est offusquée :

« Qui va le sortir trois fois par jour ?
35 – Pour quoi faire ?
– Pour ses besoins, pardi ! »

Elle m'a sauvé.

J'ai attendu quelques secondes. Puis je me suis assis par
terre, en tailleur, et j'ai serré ma tête dans mes mains. Au bout
40 de quelques secondes, j'ai senti des petits doigts se poser sur
mon crâne, comme pour me faire un abri. J'entendais des
mots d'amour qui me demandaient d'arrêter de pleurer. Mais
j'avais besoin de verser toutes les larmes retenues ces dernières
décennies. La pompe était enclenchée, fallait laisser couler. J'ai
45 dit : « Excusez-moi, mes filles, laissez-moi seul un moment. »

Devant le magasin de cycles, un tas de ferraille sur quatre
roues était garé, qui ressemblait à une épave de bateau ou à une
auto, selon l'angle d'où on l'observait. Nous sommes entrés.

À l'intérieur, pas un chien ni même un chat pour nous
50 accueillir.

« Y a quelqu'un ? » j'ai lancé.

Sans attendre la réponse, je me suis aventuré dans l'arrière-
boutique. J'ai de nouveau appelé, pendant que Zola gromme-

lait qu'elle sortirait le golden retriever avant d'aller à l'école et
55 aussi à son retour, ses copines faisaient toutes comme ça, ou
bien elle lui mettrait des couches Pampers spécial canins, et
puis de toute façon elle ne voulait plus de ce vélo déchaîné,
les loueurs avaient déserté l'île et tout abandonné derrière
eux, dégoûtés eux aussi par la pluie et les touristes qui avaient
60 négligé Ouessant cette année. Tout était nul, ici, le ciel, la mer,
les gens, les glaces… Alors, autant s'occuper du chien promis
par Super Daddy.

Elle avait raison, Zola, ça sentait la cessation d'activités.
L'endroit exhalait une odeur de renfermé et d'humidité grais-
65 seuse. Rien ne bougeait, pas un cliquetis, pas un tic-tac d'horloge, pas une respiration humaine.

« On repassera plus tard. »

J'avais parlé à haute voix, feignant de m'adresser à mes
filles, parce que en vérité je sentais maintenant une présence à
70 quelques pas, un souffle chaud dans la pénombre. J'ai mis la
main sur la poignée de la porte. Au moment où j'allais l'abais-
ser, un chat a surgi d'un renfoncement. Il s'est avancé vers
nous, annonçant l'apparition imminente de son maître. Une
voix a percé les ténèbres :

75 « Oui ? »

C'était Le Bihan. Légèrement voûté, il a fait quelques pas
dans notre direction, avec son chiffon entre les mains qui lui
donnait l'illusion d'être actif. Comme lors de la première rencontre, je voyais clairement la voilette grise sur ses yeux. Elle

80 me faisait penser à une entaille, sans que je sache pourquoi, cette image s'imposait à mon esprit.

Après quelques mots de salutations, j'ai expliqué le souci de chaîne de Zola. Succinctement, parce que l'homme avait certainement d'autres urgences que nos tracas de vacances. Il 85 s'est d'abord approché de Zola. Il lui a demandé comment elle s'appelait. Timidement, elle lui a répondu. Il a dit que son nom lui allait très bien, puis il a cherché à savoir d'où il venait, alors là elle a eu un mouvement d'épaules signifiant qu'il fallait voir ça avec son père. Ensuite, il a affirmé que les bouclettes de ses 90 cheveux espagnols lui seyaient à merveille.

Il s'est tourné vers Sofia et lui a demandé son nom à elle aussi. Il a trouvé qu'il avait un goût bulgare. Elle n'a pas hésité : « Non, arabe. »

Il a fait « Ah », c'est tout.

95 En vérité, il regardait mes filles avec tendresse. Quand je lui ai demandé s'il avait des enfants, il a hoché la tête vaguement, peut-être négativement mais ce n'est pas sûr, puis il s'est penché sur le bicycle. Ma question semblait l'avoir épuisé. Il s'est agenouillé face au pédalier en posant son chiffon rouge à terre 100 à la manière d'un tapis de prière. Après un bref coup d'œil, il s'est relevé, il a tapoté ses mains pour dégager la poussière et il a livré son verdict :

« Je vous donne un autre vélo. »

Il a proposé à Zola de choisir celui qui lui plaisait.

105 Le violet était superbe, je l'avais déjà repéré car il me rappe-

lait celui pour lequel, enfant, j'avais pleuré des mois pour forcer
mon père à me l'acheter à *La Hutte* mais il n'avait pas de sous.
J'en avais marre d'être pauvre. On ne pouvait acheter que des
vêtements contre le froid et de la nourriture élémentaire contre
110 la mort. Tout le reste était superflu.

De toute façon, mon père craignait les vélos à cause des
risques d'accidents.

J'ai vivement conseillé à Zola de le prendre, c'était le plus
beau de tous. Et j'ai avoué la raison de ma préférence : le violet
115 était ma couleur d'enfance. Elle ne pouvait s'y tromper, le ton
de ma voix était un vœu. Elle a planté son regard dans le mien.
Elle a choisi un bleu. Un bleu pâle, en plus, pas même éclatant,
qui allait bien avec la couleur du temps à Ouessant.

J'ai fait le mort. Même pas mal.

120 Quant au vélo, il était plus sophistiqué, et plus cher aussi, le
prix de la location était indiqué sur le guidon.

« À vous, je vous fais grâce de la surtaxe », a décidé Le Bihan.

J'ai refusé. J'avais pitié de lui et de son magasin sans avenir.
Mais il ne voulait pas tergiverser, les affaires étaient au plus bas
125 et il n'avait pas d'autres clients que nous, alors voilà, prenez ce
bicycle tout neuf, il arrive juste du continent, et levez l'ancre,
c'est ce que vous avez de mieux à faire, il semblait dire. C'était
son cadeau pour mes deux petites Espagnoles de Séville. Puis il
s'est baissé de nouveau pour aller chercher son tapis de prière
130 censé protéger ses articulations.

J'ai remercié, intrigué. Ce type était un incertain. Avec lui,
on ne savait jamais s'il fallait clore une phrase ou la laisser en

suspens. Il a fait un signe de la tête pour dire « Oui, oui, vas-y, c'est bien ce que tu as entendu, ne cherche pas à comprendre ».

135 Le chat est revenu entre ses jambes, torsadant sa longue queue autour de son mollet. Le Bihan l'a soulevé et l'a posé contre sa poitrine. Lorsque mes filles lui ont dit au revoir, il s'est contenté de son petit coup de menton, puis il s'est souvenu d'une question qui lui brûlait les lèvres :

140 « Au fait, vous ne faites jamais de photos ? J'ai remarqué que vous n'aviez pas d'appareil. »

J'ai dit non, il n'y a pas assez de lumière par ici.

« Pas de lumière ? » A suivi un borborygme. Comme s'il n'avait pas remarqué cette absence ces derniers temps.

145 Il me faisait l'impression d'un globe-trotter pour qui Ouessant était le terminus. N'avait-il pas dit qu'il n'était jamais allé à Brest ? Ce halo de mystère qui l'entourait taquinait mon envie de savoir qui il était. Je voulais suggérer à mes filles d'aller faire une promenade sans moi pour bavarder avec lui, mais j'ai 150 renoncé.

« Bon, je crois qu'on m'attend. Au revoir, monsieur Le Bihan.
– Oui, c'est ça, au revoir. »

Son chat a miaulé de nouveau. Il n'avait même pas de nom. Zola avait demandé et c'est ce que Le Bihan avait répondu, 155 « sans nom ».

Elle était choquée : « Un chat sans nom ? Comment faire pour l'appeler, alors ? »

Avec l'odeur du lait, peut-être. Ou bien on n'avait pas besoin de l'appeler. Ça existe, des chats comme ça. Il venait tout seul.

160 Zola a dit : « Kenavo. »

Et elle a déclaré qu'elle préférait de loin avoir bientôt un chien qu'un chat. Elle était également ravie de sa nouvelle bicyclette bleu pâle.

Nous sommes repartis crapahuter sur les sentiers et les 165 grèves. Sofia a suggéré qu'on appelle le chat « Kenavo ». On était d'accord.

Le père Gentil Organisateur se démenait comme un beau diable pour inventer des activités nouvelles à ses deux clientes de la semaine. Épuisé, il en était arrivé à saisir le moindre pré- 170 texte pour produire de la dramaturgie :

« Le prem's qui découvre un coquelicot gagne un cadeau ! C'est parti. Top chrono ! Mais attention, on n'a pas le droit de le cueillir, sinon il meurt. »

La course s'engage. Au premier coup de pédales, mon pied 175 ripe, je bascule à l'avant, mon menton cogne sur le guidon, je glisse de tout mon corps sur le côté, je me raye les côtes, puis les coudes, mon pantalon se déchire sur tout le mollet, j'essaie d'amortir ma réception, hélas, je m'étale en plein dans les épines dissimulées sous les feuilles telles des oursins.

180 Je n'en peux plus. Je suis sens dessus dessous, percé de part en part. Mon épaule me fait mal. Mes filles rigolent. Elles en profitent pour prendre la tête du peloton. Soudain, une mouche me pique. Le sang me monte au carburateur. Je me redresse, des épines plantées dans le derrière, je me remets en 185 selle, enfonçant des dards dans ma chair, je pédale comme

un fou, je suis un vaillant organisateur, et plus je pédale, plus l'image de Le Bihan me hante. J'ai maintenant la conviction que la location de cycles est une couverture. Cela se lit sur son front et sa chemise à carreaux des années soixante.

190   Dans son atelier, ses yeux avaient une lueur mélancolique que je reconnaissais : la *saudade* de Lisboa. C'était un marin qui était parti et n'était jamais revenu. J'avais capté en lui l'éclat de lumière d'un pays perdu, les regrets éternels d'une île homérique, comme chez Yvon, comme chez mes parents. Et
195 chez tous les autres mélancoliques. Les indices concordaient. À Ouessant, le loueur était en transit, un faiseur de vent, un migrant, un aubain[1], un allogène qui téléphonait sans relâche au bled à la recherche de ses gènes. Tout ce qu'on voulait, mais pas un commerçant indigène d'*Enez Eusa*.

200   Son chiffon rouge de prière me rappelait le gant que Francis avait jeté à terre à l'école pour faire diversion.

---

1. Personne étrangère non naturalisée.

Mes filles pédalaient à toute jeunesse sur la lande à la recherche du coquelicot solitaire.

« Prem's ! »

Zola l'a trouvé la première. Elle s'est jetée de son vélo pour
5 s'en saisir.

Sa sœur était heureuse pour elle. Elle voulait l'encourager à profiter des vacances en famille et du programme d'activités concocté par le GO.

En récompense pour son sens de l'observation psycholo-
10 gique, je l'ai nommée directrice adjointe du club de vacances.

Malgré l'interdiction, Zola a cueilli le coquelicot. Elle est allée si vite que je n'ai pas pu placer un mot. « Il est à moi, je fais ce que je veux ! » Ensuite, elle a voulu le cadeau que j'avais promis à la lauréate. Je lui ai dit de choisir, le monde était à ses
15 pieds, qu'elle annonce ses vœux.

Elle avait moult possibilités, les magasins ne manquaient pas sur l'île, les glaciers, les pizzas, la librairie avec des bouquins sur les chiens et sur les chevaux, un cerf-volant, une poupée Barbie, un ciré, mais elle avait déjà tout prévu. Elle a demandé un
20 bout de papier glacé : seulement ça. Un rectangle de quelques centimètres.

« Une carte postale. »

Pour sa mère restée de l'autre côté de la passerelle.

Elle avait mal d'elle.

25 Elle l'a dit tout net.

En français, en anglais.

Zola veut rentrer home, Zola veut revoir maman.

Le désamoureux pouvait-il comprendre ça ?

Je suis devenu fou. J'ai poussé un cri de Sioux. J'ai soulevé
mon vélo à bout de bras au-dessus de ma tête, comme un jave-
lot, j'ai couru sur quelques mètres et je l'ai balancé du haut de
la falaise dans les flots bouillonnants. Ensuite, les vociférations
sont sorties au grand large tel un cyclone :

« Et moi alors ? Nom d'une pipe ! Qui veut voir père stupide
épuisé de faire clown sur vélo avec le cul dardé d'épines ? Moi
en avoir marre, ras le bol ! Vouloir retourner maison et lire
roman d'amour en père peinard ! Putain de merde ! »

Ça a jeté un froid sur la lande.

Je bavais. La colère ne me lâchait pas la gorge. On me traitait
comme un pneu de cycle, la dernière roue du carrosse. J'étais
devenu un distributeur de pensions alimentaires et compensatoires. Je devais me satisfaire de cette fonction. Point barre. Un
père, ça tient debout, ça balise le chemin des autres, ça informe
ceux qui suivent des dégâts de la navigation à vie, des récifs,
des écueils et autres brisants. Ça passe son temps à baliser[1], à
éclairer. Voilà j'avais trouvé un nouveau synonyme de père :
éclairagiste.

Et un autre : lampiste.

Le baliseur a bien compris. Il a incliné la tête et fait profil
bas. À terre, il a vu sa vie déglinguée, ces choses qui l'encom-
braient, ses rencontres de *speed dating*[2], ses amis d'apéro, ses
dîners Picard devant la télé... Il a acheté une carte postale

---

1. Marquer un parcours de signes ou d'objets.
2. Rendez-vous amoureux trop brefs (langue anglaise).

avec un faux soleil d'Ouessant, plusieurs timbres aux couleurs aguichantes, il a repéré une boîte aux lettres pour l'envoi de la
55 bouteille à la mer de sa fille Zola. Sur l'enveloppe, il a même écrit « Facteur, presse le pas, l'amour n'attend pas. »

Le *dad* aurait bien envoyé une bouteille à la mer en direction du ciel criblé de mégots et crié aux ancêtres qui passent leur temps à jouer aux dominos : « Hohé, excusez-moi de vous
60 déranger, mais l'un d'entre vous aurait-il pitié d'un descendant qui cherche un remontant ? »

Le *dad* l'a fait. Comme la *saudade* des chanteurs du vieux Lisboa. Il est allé chercher dans ses tripes une prière, la plus sincère, mais pas un ancêtre n'a levé un cil. Leurs regards ne
65 quittaient pas les carrés de dominos. J'ai laissé passer quelques secondes pour qu'ils puissent réagir, quand brusquement je l'ai vue glisser, merveilleuse, une incroyable étoile filante, au moment où j'allais me jeter du haut d'un phare, enfin un signe m'apparaissait, une missive de la Voie lactée. C'en était fini
70 de ma *saudade*, du besoin de consolation impossible à apaiser. J'étais enfin rattaché à une amarre. J'allais tomber amoureux dans les heures qui suivraient. Alléluia. Inch'Allah[1].

Puis les secondes se sont mises à durer. J'ai patienté. J'ai fini par laisser passer des heures. Résultat : *Makache*[2] l'étoile filante.
75 C'était du vent. Tout du flan. Rien n'a bougé dans la constellation. Pas le moindre frémissement. Les ancêtres avaient perdu

---

1. Si Dieu le veut (langue arabe).
2. Rien (langue arabe).

l'honneur de la famille, de leurs origines et de leurs racines. Ils devaient se saouler la gueule à longueur de journée et taper le poker à longueur de nuitée. Je constatais avec amertume que
80 l'individualisme avait causé des lésions sociales irrémédiables même au paradis.

J'ai baissé les bras.

J'étais un menteur, c'était vrai. Je m'étais mis à scénariser ma vie. Je la jouais. L'histoire du vélo soulevé à bras le corps et
85 balancé du haut de la falaise était inventée elle aussi. Du flan. Mon existence était une erreur de casting. Soliloqueur metteur en scène : je n'avais jamais pris ma vie à bras le corps. Pourtant, j'avais essayé de la prendre comme ça, comme elle vient, histoire d'en profiter, comme ils disent.

90 Après, on est rentrés à la maison, sans rien dire. J'entendais vaguement des mots d'enfant qui passaient près de mes oreilles, je ne les arrêtais pas.

De retour à la maison, je n'ai pas trouvé de vase pour le coquelicot de la rebelle, alors je l'ai mis dans une flûte à cham-
95 pagne que j'ai dégotée dans un placard. Je l'avais prévenue : les coquelicots ne se cueillent pas, ma chérie, sous peine de mort. Ils se contemplent sur pied. À la moindre tentative d'enlève-ment, ils se meurent, leur robe rouge se désagrège et leur sang se répand. C'est comme l'amour, dès qu'on y goûte il com-
100 mence à fondre. Je l'avais prévenue, mais ses oreilles d'enfant ne pouvaient pas entendre.

Elle m'a ignoré. Elle a posé la flûte à champagne sur une table basse, ensuite, arc-boutée dans le fauteuil, les genoux

repliés jusqu'au menton, elle a regardé intensément la télé. Au
bout d'un moment, à la sortie d'une longue torpeur, elle m'a
demandé :

« C'est quand que tu l'achèteras, le golden retriever ? »

C'était une question-ordre. J'ai prétendu que je réfléchissais
encore. Cette adoption méritait réflexion, non ?

Elle avait préparé sa seconde salve[1] :

« Pour le divorce avec maman, tu as beaucoup moins réfléchi
que pour le chien. »

Plus tard, quand elles sont allées se coucher, maudissant
mon sort, j'ai sifflé la moitié de la fiole de whisky que j'avais
achetée en douce, au moment où mon petit monde cherchait
une carte postale.

Lorsque je fus bien chaud, j'ai pensé à ôter les épines enfon-
cées dans mes fesses et qui électrisaient mon système nerveux.

Je suis allé à la salle de bains, j'ai démonté le grand miroir,
non sans regarder mon reflet dedans. J'ai aussitôt tourné la tête.
Ensuite, je l'ai posé par terre au milieu du salon et je me suis
accroupi dessus. Dans cette position inconfortable, j'ai tenté
d'extraire les dards d'Ouessant avec une pince à épiler. Par
manque de précision, mes doigts tombaient à côté des dards et
j'en enfonçais un sur deux, redoublant mon agonie. J'ai rayé mes
dents à force de contenir ma douleur. Un père, ça endure ou ça
démissionne. « Stupide GO[2] en avoir marre d'être piqué à vif,

---

1. Décharge de plusieurs armes à feu en même temps (sens figuré).
2. Gentil Organisateur (dans les clubs de vacances).

vouloir que tout ça s'arrête, être au bord de crise de nerfs », allais-je écrire sur mon carnet de bord une fois l'extraction terminée.

130 Soudain, j'ai entendu des pas dans mon dos. J'ai d'abord cru que c'était le nain de jardin qui venait aux nouvelles, pensant que la maisonnée dormait. C'était Sofia. Du haut de l'escalier, quand elle m'a vu accroupi sur le miroir comme sur une cuvette de w-c, elle s'est arrêtée de respirer en me fixant, elle a 135 fait une grimace de dégoût et elle s'est étonnée :

« Papa ?

– Oui ?

– Qu'est-ce que tu fais ? »

J'ai débité la vérité d'une traite :

140 « J'essaie de sortir les épines de mon derrière. »

Puis je me suis tu. Elle est restée une seconde immobile avant de faire demi-tour comme un robot. J'étais affreusement gêné. Benêt, j'ai remis le miroir à sa place, en soliloquant des dialogues de films de Laurel et Hardy[1].

145 Les deux jours suivants, j'ai accumulé les erreurs. Les nœuds que j'étais venu dénouer à Ouessant avaient engendré des petits frères. Encore un jour de pluie supplémentaire sur l'île et ma Cocotte-minute allait partir en pétard. Moi qui cherchais à éviter la moindre anicroche à notre trio familial, j'étais servi. 150 J'aurais dû choisir l'Algérie et ses brûlures d'été, on s'en serait mieux tiré. J'ai ruminé cette hypothèse pendant des heures.

---

1. Célèbres acteurs américains du cinéma muet.

Mon oreiller était devenu un punching ball. Cabossé de tous côtés. Je me suis dit, si demain ne se présente pas sous de meilleurs auspices, on ficelle nos valises et salam Ouessant.

Heureusement, les jours sont des enfants uniques. Le lendemain, l'île semblait nous avoir définitivement adoptés et, histoire de sceller notre union, nous avait servi deux journées ensoleillées, certes pas d'une incandescence méditerranéenne,
5 mais tout de même dignes de la Corse. Ouessant avait changé de parure. C'était devenu une île de corail et de sable blanc juste pour mes filles et moi, la végétation avait entamé un couplet de *O sole mio*, le nain de jardin reprenait le refrain en dansant autour du saule pleureur qui avait redressé ses tresses de
10 rasta, les mouettes chantaient la liberté et les mâts des voiliers donnaient la cadence à l'orchestre de la nature. Nous étions seuls sur l'île, avec le coquelicot, le nain et le couple Le Bihan Cycles. Tout allait mieux. J'ai remisé mes nerfs dans ma poche et ravalé mes ronchonnements de GO endolori. Sur le duvet de
15 mon arrière-train, j'ai passé une couche de crème et enfilé trois caleçons pour les promenades à vélo.

Plusieurs fois par jour, mes filles et moi passions devant le magasin Le Bihan Cycles, comme une famille unie, rayonnante de soleil. Madame s'amusait de nous voir embrasser les jours
20 heureux. Une fois, elle est sortie sur le seuil de son commerce et elle nous a lancé au passage :

« Bonjour les Lyonnais ! Ça y est. Enfin ! »

Elle était heureuse pour nous. Son île montrait enfin son vrai visage. Il n'y avait pas que les Méditerranéens qui célébraient
25 l'hospitalité.

Je l'ai vu sourire aussi, lui, un peu. Une lumière se ravivait en lui. Mais ce n'était pas un phare éclatant, juste un petit rictus, retenu in extremis.

« Vous allez voir, maintenant qu'il est revenu, ça va être autre 30 chose ! » a prophétisé madame.

Comme je ne disais rien, elle a paru étonnée, elle a montré le ciel et m'a fait :

« Vous ne trouvez pas ? »

Elle parlait du soleil sur Ouessant, pas de son mari, car 35 monsieur Le Bihan, même sous le soleil, n'était pas autre chose que ce qu'il avait été jusqu'à présent, un homme ombré. J'avais marqué sur mon carnet qu'il avait l'allure d'un « fugitif », le mot lui allait bien.

Zola trouvait que l'île ressemblait à la carte postale qu'elle 40 avait envoyée sur le continent, maintenant que le beau temps était revenu. Elle avait fait un excellent choix. Merci Allah, merci Jésus, ils avaient exaucé mes incantations.

Désormais, grâce au ciel d'été nettoyé des mégots de la nuit et des cendres du jour, on pouvait clairement voir sur le rail 45 d'Ouessant les navires effilés qui glissaient comme des requins métalliques vers l'envers du monde. J'étais impressionné par les porte-containers, avec leur gueule d'immeuble HLM gris, qui quittaient la banlieue pour rejoindre les quartiers de plaisance. J'étais rêveur aussi à la vue des super-tankers, avec leur tête de 50 Centre Beaubourg mobile trimbalant leurs tuyauteries rouge écarlate et bleu criard.

« Vous avez vu ces gros machins ! je me suis extasié devant mes filles.

– Ouais, ouais », m'a renvoyé un vague écho.

Évidemment, j'avais répété ça mille et une fois depuis le lever du jour.

Du sommet du phare, le spectacle du rail d'Ouessant devait être divin. C'est ce que je me contentais d'imaginer, car l'accès était interdit aux personnes non autorisées et étrangères au service, c'était écrit sur la porte scellée par un énorme cadenas rouillé. J'étais hélas les deux, un étranger, interdit d'accès. Le guetteur avait pris sa retraite depuis longtemps. D'après les bruits qui couraient, un architecte parisien l'avait acheté pour y élire domicile et développer ses extravagances. J'étais frustré à l'idée que l'artiste avait certainement transformé le lieu en un tube surréaliste et de ne pouvoir y accéder. On m'avait dit que, depuis son emménagement dans le phare, le Parisien se faisait appeler « Pharisien », ce qui donnait un aperçu de l'état de son carburateur à lui aussi.

« Bon, alors, on continue ou on plante la tente ici ? a demandé Sofia.

– Oui, oui, j'arrive. »

J'ai eu de nouveau les nerfs en pelote. D'un coup. Ho, ho, est-ce que le GO a le droit quand même de… ? Je bégayais, je ne savais plus comment m'y prendre pour partager avec mes filles mes petits bonheurs de chemin. Je ne savais pas faire père, c'était une certitude : au fond, elle avait raison, l'enquêtrice au calepin noir porteuse du message de la Société protectrice des divorcées. Je les saturais avec mes excès de vieux poète lourdaud. Je craignais que pour les prochaines vacances elles trouvent une bonne raison d'échapper au calvaire avec le GO aux gros sabots.

« Franchement, elle a continué, une fois qu'on l'a vu, ce phare, c'est pas la peine de le revoir cent fois ! »

85   Il ne bougerait pas.

Il ne changerait pas de face.

Je pourrais le visiter à vélo, à pied ou même à cheval.

Je pourrais aussi acheter une carte postale, l'accrocher au revers de ma veste et la contempler à satiété !

90   « On dit *Leuchtturm*, en allemand », j'ai murmuré, un peu comme Malik qui adorait trouver des termes rares et châtiés et les resservir aux indigènes lyonnais. Je répétais ses trouvailles à des gens ébahis qui s'étonnaient et s'extasiaient : « Eh *ben didon*, qu'est-ce que vous parlez bien français pour des étran-

95   gers ! »

Ça m'amusait parce que nous étions de Lyon et pas étrangers du tout et que la langue française n'avait pas de mystère pour nous, on ne se gênait pas pour la triturer dans tous les sens, sans en avoir l'R, pour lui tordre le cou, lui ouvrir le Q, lui faire

100   battre des L, sans N et en buvant le T.

Cela m'a donné une idée. J'ai demandé à mes filles :

« Comment dit-on "phare" en anglais ? »

Elles ont échangé un regard surpris.

« Et en espagnol ? Il y a un cadeau à la clé pour celle qui

105   trouvera la première. »

Mais ça leur en faisait une belle, de *Leuchtturm* !, d'après ce que j'ai compris de leurs mimiques.

Je ne parvenais pas à les dérider avec les langues étrangères.
Alors, comme j'étais responsable de l'animation du centre aéré,
10 j'ai dit en une seule phrase et en apnée :

« O.K., on s'en va manger un kouign aman, des huîtres,
des coquillages, des moules, des araignées, du mouton cuit
sous terre, du poisson, des crêpes de Sarrazins[1], des crêpes de
Carolingiens, de Mérovingiens[2], tout ce que vous voulez ! »
15 C'était là une gamme de suggestions recevables dans le menu
du Club des trois. Je voulais ajouter, mais je vous en conjure,
essayez de m'aider à vous rendre la joie d'être là avec moi, je
fais mon possible pour être à la hauteur. Je tente même mon
impossible. J'ai si peur que vous ne reveniez plus avec moi pour
20 de prochaines vacances. Je vais crever seul sur la plage de galets.
Comme une méduse.

Mais ça, je ne l'ai pas dit. J'étais père, pas coquelicot.

« *Danke schön*, mais nous, on préfère les glaces Magnum, si
ça ne contrarie pas trop ton programme d'activités, cher *dad* ! »
25 elles ont dit en chœur.

On aurait dit qu'elles avaient répété leurs répliques.

« Non, non,
que nenni,
cela ne contrarie en rien
130 les desseins
que, pour vos seigneuries,

---

1. Jeu de mot. Au Moyen Âge, on appelait « sarrazin » une personne de confession musulmane.
Mais, pour faire les crêpes, on utilise aussi la farine de sarrasin.
2. Dynasties de rois francs qui régnèrent sur l'Europe occidentale de 751 jusqu'au Xe siècle.

j'avais envisagés avec soin »,

j'ai dit comme au Moyen Âge ou dans les pièces de Molière. Vos désirs sont mes délices, *my darlings*.

135 Décidément, ces vacances à Ouessant tournaient au jeu de rôle. J'avais de quoi noircir mon carnet de notes quotidiennes.

Soudain, avant d'atteindre le centre-ville, Sofia a redressé la tête, poussé un petit cri, une onomatopée :

« Faro. »

140 Zola, les yeux écarquillés, a repris, inquiète :

« Faro quoi ?

– Le mot phare en espagnol est *faro*. »

On était subjugués. Sofia avait de la suite dans les idées, la baraka[1]. Elle se souvenait qu'à Marseille, une de ses copines 145 avait déjà passé des vacances dans le quartier de sa grand-mère et qu'il s'appelait le *faro*. Alors elle avait fait la déduction.

Je n'étais pas peu fier, peuchère[2]. J'avais donné naissance à des génies de la linguistique. Elle tenait sans doute ce talent des conversations avec sa grand-mère kabyle qui n'était jamais 150 parvenue à apprendre le *francis* en trente ans de colonisation là-bas et cinquante ans d'immigration ici. Du coup, nous nous sommes mis à converser sur l'apprentissage des langues étrangères et sur le bonheur de voyager dans le monde entier, la Chine, le Brésil, l'Argentine, l'Amérique, le Colorado, le 155 Mississipi…

---

1. Chance (langue arabe).
2. Expression provençale utilisée pour exprimer la compassion ou pour renforcer des paroles.

« Et l'Algérie ? » a placé Sofia.

Elle avait gagné le pari. Je lui ai demandé ce qu'elle voulait comme cadeau. Elle a dit :

« Demande à ma sœur, je le lui offre. »

60 Et elle a poursuivi son idée :

« Tu n'as pas répondu, pour l'Algérie. »

Non, je n'ai rien répondu. Je ne pouvais pas régler tous les problèmes à la fois. Pour le moment, nous étions à Ouessant, département du Finistère, région de Bretagne, France, Europe, 65 et nulle part ailleurs.

Heureusement, chemin faisant, Zola répétait avec délectation le mot *faro*. L'espagnol est une langue facile à apprendre, au fond, il suffit d'ajouter un *o* à la fin des mots français. En pensant à la coupe Melbo qu'elle allait déguster à l'arrivée, elle 70 a dit « Hum, on va se regalo. »

J'ai dit que c'était leur cadeau, et que « *regalo* » voulait justement dire « cadeau » en castillan.

On a repris les vélos. Une bonne ambiance dans l'air, grâce aux langues étrangères. Notre équipe reflétait les derniers 75 rayons du soleil. L'après-midi se consumait à petits feux et déclinait dans le ciel du côté américain de l'horizon. Les premiers mégots de Marlboro commençaient déjà à allumer le *cielo*. Les ancêtres s'installaient autour des tables de dominos. Le soleil avait sérieusement resserré les liens *della famiglia*. 80 Alléluia. Allah Akbar[1]. Il pouvait à présent faire sa révérence

---

1. Dieu est grand (langue arabe).

au jour mourant et embraser une ultime fois la surface lisse et opaque de son amante la mer.

Chaque jour, en catimini, je venais rôder autour de mon *faro* à la recherche des poètes disparus, Maurice Carême, Émile Verhaeren, Joachim du Bellay[1], Charles Baudelaire[2] et Paul Verlaine. Et de l'amour, aussi. Mes yeux se postaient à son som-
5 met et se faisaient la belle du côté des gouffres amers[3]. Ouessant, c'était ce phare, aux confins du département du Penn-ar-Bed, qui voulait justement dire « bout du monde ». Je sentais alentour un secret. Il avait le corps d'une femme. J'allais enfin dire à quelqu'une ces mots d'amour qui n'étaient jamais sortis de moi
10 et qui s'étaient fossilisés. J'allais trouver le courage.

Face au miroir de la salle de bains, la nuit je m'étais essayé à des répliques d'acteur de cinéma *Je t'aime, je t'aime. Tu sais que je t'aime ? Le sais-tu ?* Cela me plaisait de prononcer ces mots. L'étirement qu'ils requéraient était agréable. Je savais qu'en
15 espagnol, on disait *te quiero*. Et en allemand, en anglais, en hollandais, en italien, je le savais aussi. Il ne manquait plus qu'elle, celle qui allait rafler la mise. Tout paraissait prêt. J'ai attendu.

Le message est arrivé. En provenance de la mer. Chargé des arômes de la lande. Il nous a invités à le suivre. Le destin nous
20 demandait de passer le voir en famille, non pas à son bureau de placement, mais cette fois sur la falaise. Il avait un *regalo* pour nous.

Ce matin-là, nous avions à peine fini notre petit déjeuner que je pressais mes filles : « Allez, on bouge ! Vite ! » Elles ont

---

1. Poète français (1522-1560).
2. Poète français (1821-1867).
3. Citation d'un poème de Baudelaire, « L'Albatros », issu du recueil intitulé *Les Fleurs du mal*.

25 eu beau demander où on allait, je n'ai pas pipé mot. Elles ont compris ma détermination. Même quand la petite s'est exclamée, toute joyeuse, « On rentre à la maison ? *Yes* ! », j'ai eu une crevaison au cœur, mais j'ai tenu bon.

Nous nous sommes rendus à la convocation. En deux trois
30 coups de pédales, j'étais en tête du peloton et je n'ai pas lâché le maillot jaune de toute l'étape. Cette fois je prenais l'initiative, je lançais l'attaque en danseuse. Le *dad* se rebiffait. Dans mon dos, j'entendais de plaintifs « Mais où on va ? », puis « Où il va ? » J'ai répondu une seule fois « C'est mon *regalo* » et j'ai
35 continué à foncer tête baissée sur le guidon.

Arrivé sur place, j'ai scruté l'horizon. Il n'y avait rien qui ressemble à un cadeau. Le paysage était la parfaite réplique de celui de la veille. J'ai patienté. Le secret allait se dévoiler, j'en étais sûr.

40 « Tout ça pour ça ! » les filles se sont exclamées au diapason, leur vélo calé dans les mains, prêtes à rebrousser chemin. Et dire qu'elles n'avaient même pas terminé leur petit déjeuner.

Moi, je priais pour que quelque chose se passe vite, parce que mes nerfs étaient tendus comme des câbles de frein. J'ai
45 attendu encore. La pression devenait insoutenable. Les moqueries fusaient dans mon dos. Les phrases sibyllines[1] jaillissaient comme des fléchettes dans ma tête. « Alors, il est où, le *regalo* ? » Mes yeux avaient mal aux pupilles tant j'implorais les cieux.

Grand Jésus

---

1. Énigmatiques, obscures.

50 Grand Allah,
où êtes-vous ?
Ne voyez-vous pas
dans quel hallali
j'ai chu ?
55 J'ai fini par craquer. J'ai dit O.K., on rentre. J'ai enfourché
le vélo en pensant, il vaut mieux aller se remettre au lit et
finir mon roman d'amour impossible, sinon cette escapade va
tourner au désastre. Je voyais bien que mes filles avaient pitié
de moi. Peut-être aussi qu'elles me prenaient pour un père psy-
60 cho-fragile. De retour à Lyon, elles allaient faire un rapport sur
mes sautes d'humeur, mes névroses. L'inspectrice au calepin se
réjouirait de ces témoignages à charge. J'ai donné un coup de
pédales rageur. « Allez, y'Allah, on bouge ! » Soudain, alors que
nous étions sur le point de quitter le lieu, c'est sorti de moi :
65 « C'est ça ! C'est là ! »
Et on les a aperçues : de grosses bêtes à poil roux. Sorties de
nulle part. Elles paissaient dans un champ qui, lui non plus,
n'était pas là quelques minutes auparavant. Miracle de la lande.
« Oh, des chevaux ! » s'est extasiée Zola.
70 J'étais ému aux larmes. La vie n'était-elle pas merveilleuse pour
qui savait attendre ? J'ai remercié discrètement les dieux pour l'envoi de leur *deux ex machina*[1]. Les yeux de Zola pétillaient.
« Comme ils sont beaux ! »
J'en ai profité pour lâcher une petite vengeance :

---

1. Intervention surprenante (vocabulaire théâtral).

75 « Ça fait deux fois que tu le dis ! »

Sa sœur m'a lancé un clin d'œil de félicitations.

Hypnotisés, nous avons couché nos vélos sur le duvet de la lande et, pas à pas, flottant sur la mousse, nous nous sommes approchés des apparitions à poil roux. Mes filles poussaient
80 de petits gloussements de ravissement. Les chevaux sacrés du Soleil arrivaient tout droit de l'*Odyssée*. Ma cadette a répété qu'ils étaient beaux, elle n'avait plus que ce mot à la bouche. Quand elle utilisait cet adjectif en rafales, on pouvait être assuré de son degré de satisfaction optimal.

85 Cette fois, j'étais heureux, ce n'était plus une impression furtive.

Nous n'étions pas au bout de nos surprises. Le grand *milagro*[1] était à venir, j'en avais une incroyable certitude. Quelques secondes plus tard, elle est sortie à son tour de nulle part :
90 Circé[2]. Elle a dit « Bonjour » comme seules les déesses savent le faire. Elle resplendissait. J'ai clignoté des yeux.

Son visage était merveilleux d'hospitalité, ses yeux rieurs et coquins. Son visage me semblait même familier, tant il reluisait d'humanité. Elle a redit : « Bonjour », et ensuite, plus rien, le
95 temps est parti au galop, à l'aveuglette. Ce n'était que le début du *regalo*, du *milagro*, et c'était déjà tellement beau.

Ma garde rapprochée faisait une drôle de tête en zieutant Circé. Elle n'appréciait pas ce genre d'odyssée. J'ai redressé le menton.

---

1. Miracle.
2. Dans la mythologie grecque, fille d'Hélios, dieu du Soleil et de la Lumière.

« Qu'est-ce que je vous avais dit ! »

Avec un double point d'exclamation, et même d'affirmation, surtout pas d'interrogation.

Elles n'ont pas moufté. Elles étaient bien sellées sur leurs chevaux du Soleil.

Nous avons commencé la balade. Le père avait les cartes en main. Les atouts cœur. Et les trèfles à quatre feuilles.

Vue depuis le dos d'un cheval, l'île semblait bouger en même temps que les vagues. En plus de l'ivresse qui m'avait secoué à la vue de la déesse, cette sensation me provoquait un léger vertige. J'ai serré les jambes pour affirmer ma position. Lorsque Circé, qui était guide dans le centre d'équitation, a proposé de faire un petit galop et que mes filles ont crié oui, oui, j'ai senti qu'elles cherchaient à me déchoir pour me ramener sur la terre ferme. J'ai freiné leur entrain : « *Hola, calmo, tranquillo* », si les chevaux étaient piqués par la mouche tsétsé et se jetaient du haut des falaises, que resterait-il de nos vacances à Ouessant ?

Lucide, le poète. L'heure n'était pas à la perte du contrôle de soi. En vérité, c'était une feinte de vieux briscard pour profiter de son incroyable présence : la jeune Circé ! Je voulais encore faire de chaque foulée un petit présent. *Calmo, tranquillo*, elle était pour moi. J'allais l'amener doucement à mon cœur. Elle était originaire de la ville de Guidel, à l'ouest de Lorient. Elle débordait de vie et elle avait besoin d'air, beaucoup d'air, à en croire son chemisier à fleurs ouvert jusqu'aux confins de sa jolie poitrine, découvrant les charmes doux et fermes du Finistère.

Mes yeux de père solitaire faisaient la toupie. Impossible d'admirer les paysages extérieurs à la zone de radiation du buste de l'écuyère. Jamais chemisier en soie n'avait provoqué en moi pareil émoi.

130   Le destin n'avait pas fait les choses à moitié, car la coïncidence n'était pas humaine : le cheval que je montais s'appelait Pégase[1] ! Toi, lui jurai-je dans le creux de l'oreille, je ne te lâcherai plus jusqu'à la fin de cette aventure. Tu es mon destin, que tu le veuilles ou non. Nos avenirs sont scellés, à la vie, 135 à l'amour. Je lui tapotais la crinière toutes les deux minutes, caressais son large cou. Parfois, je posais ma main sur son arrière-train et j'imaginais la fille de Guidel au bout de mes doigts morts de faim.

    Soudain, l'écuyère s'est retournée et m'a fait un clin d'œil 140 en désignant du menton mes deux chéries. J'ai compris qu'elle évoquait l'enchantement qu'elles éprouvaient sur le dos des chevaux sacrés. Mais j'ai aussi deviné autre chose. Une promesse qu'elle ne pourrait me révéler qu'à la nuit tombée. Sa faim d'amour jaillissait de ses pupilles. Elle m'a fixé une 145 minute. Et elle a fait stopper son cheval.

    « Vous ne m'avez pas reconnue ? » elle a demandé en me fixant.

    J'ai oscillé la tête.

    « Pardon ?

150   — Vous ne m'avez pas reconnue ? »

---

1. Dans la mythologie grecque, cheval ailé.

À qui parlait-elle ? Je n'ai pas feint de jeter un coup d'œil derrière moi, parce qu'il n'y avait que la mer. Alors j'ai avoué que non.

Mes filles me regardaient me défendre, les mains sur les hanches.

J'ai balbutié, puis j'ai dit oui, puis non de nouveau, enfin je me suis excusé de dire n'importe quoi. Comment pouvais-je avouer qu'en vérité, j'étais déjà en train de faire l'amour avec elle, de mordre ses lèvres couleur cerise, de déployer dans mon cerveau tout un vocabulaire qui me faisait rougir de honte. Mais aussi terriblement envie.

À ce moment, Pégase a pissé sur la lande. Ça n'a fait rire personne. J'étais en plein vertige. J'ai baragouiné deux ou trois onomatopées. Elle m'a redemandé si je ne l'avais pas reconnue. Reconnue ? Dans aucun de mes récents rêves, une telle beauté ne m'était apparue. Comment aurais-je pu l'oublier dans ce jean moulant et ce chemisier béant ?

« J'étais sur le *Fromveur*, le jour de votre arrivée. »

Elle a précisé que c'est elle qui avait parlé d'« ondées passagères ». Elle se souvenait des moues que nous faisions, mes filles et moi, sous la pluie qui nous avait accueillis. On lui faisait pitié avec nos valises à roulettes.

J'étais livide.

Et vide.

Jamais je ne m'étais senti aussi ahuri.

J'espérais seulement qu'elle n'avait pas lu dans mes pensées. Bien sûr que je la reconnaissais, maintenant, la rouquine qui

était engoncée dans des vêtements andins, à la proue du bateau. Mes filles suivaient la conversation avec grand intérêt, les mains
180 sur les rênes des bêtes sacrées, prêtes à déguerpir au galop en cas de débordement.

« Allez, on y va, papa ? » a dit Zola, piaffant.

C'était la première fois qu'elle m'appelait « papa » avec autant d'emphase.

185 Circé a proposé de faire un grand tour vers la pointe rocheuse sertie de granit pourpre, elle connaissait des chemins où seuls les chevaux pouvaient s'aventurer et où les touristes ne pouvaient accéder. Je m'en réjouissais d'avance. Mais quand elle a annoncé qu'on allait passer sous le phare, mes deux filles
190 ont gémi au diapason :

« Encore ! »

C'était un effondrement. Mais je n'en avais cure. Moi, c'est la guide qui m'émerveillait depuis presque une éternité maintenant. J'étais prêt à me laisser mener sur ses sentiers secrets
195 jusqu'au bout du monde.

Monté sur la selle d'un cheval roux, l'air indomptable, j'étais aussi assailli par la peur. Je me disais, tu ne seras pas capable de saisir ta chance, comme d'habitude, tu ne vas pas y aller, tu vas te dégonfler. J'avais l'impression de ressembler au personnage
200 d'un de mes cauchemars, gardien du phare luttant à coups de prose contre la tempête prodigieuse, défiant les vagues gloutonnes qui venaient le cueillir jusque dans son ultime recueil. Il cherchait du secours, alors que c'est lui qui était censé être le poste de secours, il se cherchait, s'appelait, mais le tumulte de

205 la mer déchaînée bloquait les mots. Le pauvre gardien se laissait engloutir. Il avait cru que le phare était son petit doigt et qu'il pouvait se planquer derrière pour éviter les remous.

Soudain, j'ai entendu une voix rauque : « Alors, qu'est-ce qu'on fait ? On y va ? » Son écho me parvenait par miettes, à 210 cause des vents tournants. C'était Zola.

J'ai regardé la guide de Guidel, elle n'avait rien à redire, elle souriait, je lui ai demandé ce qu'il fallait faire, elle a dit : « À vous de voir, je suis à votre service. » Alors nous y sommes allés. Au galop, cette fois. Allez, hue ! Les chevaux roux ont filé 215 derrière Baroudeuse que montait mademoiselle Guidel.

C'est étrange, sa chevelure se confondait avec la lande et la crinière de sa monture. Au moment où je la contemplais de mes yeux de golden retriever en rut, j'ai brusquement remarqué quatre canons espagnols qui me fusillaient. Quatre pupilles 220 bien rondes, prêtes à me transpercer de part en part. Mes filles avaient bloqué leur regard sur moi pour freiner mon galop. Elles devaient trouver que mes mots étaient doux, trop doux, chaleureux, trop chaleureux, avec la rousse écuyère. Et elles n'avaient pas l'air de vouloir partager le GO qu'elles avaient à 225 disposition pour quelques jours de location, malgré ses redondances[1] de vieux *has-been*[2] et ses lamentations de père désaimé.

Pour détourner leur surveillance, j'ai demandé à Zola :

« Tu es contente, maintenant ? »

---

1. Répétitions.
2. Démodé (anglicisme).

Elle a grogné : « Contente de quoi ?

230 – De tout ! j'ai dit, déployant mon bras sur l'horizon.

– N'importe quoi ! Je ne sais pas ce qui t'arrive, mais tu n'es pas normal depuis que nous sommes partis de la maison.

– Comment ça ? Pourquoi… »

Alors, prise de pitié, elle a concédé que ça allait. Et puis de 235 toute façon, il ne restait plus beaucoup de temps à passer sur cette île désespérante. Pour le reste, elle tenait à se concentrer sur le trot du cheval au bord de la falaise, parce qu'il y avait danger de dérapage et c'était aussi ce qu'elle me conseillait de faire si je voulais éviter une deuxième série d'épines dans le derrière.

240 Elle a approché son cheval du mien. Elle m'a coincé du regard. En posant une main sur ma cuisse, elle a déversé en bloc ce qu'elle pensait de la Baroudeuse : c'était une femme-cheval ; ça n'aimait que les équidés[1], deux ans d'équitation faisaient d'elle une experte sur le sujet.

245 Message reçu cinq sur cinq. Clause d'exclusivité du père. On arrête tout.

J'ai abrégé la balade, prétextant un mal aux fesses. J'ai payé. Mes filles ont trouvé que c'était cher pour ce que c'était.

La guide m'a demandé si nous comptions revenir le lendemain.

250 Je me suis méfié : « Pourquoi cette question ? »

J'avais complètement viré d'attitude. Elle s'est légèrement braquée. Son cheval a crispé sa nuque, écarté les pattes arrière. Et il a encore uriné. Elle l'a calmé à coups de caresses. Ensuite,

---

1. Famille d'animaux (chevaux, ânes, mules, zèbres).

elle m'a répondu sur un ton sec qu'il fallait réserver les chevaux
255 la veille, elle avait un groupe qui arrivait le lendemain de Brest.

J'ai eu la sale impression d'avoir saccagé mon destin. J'allais
vite m'excuser, mais mes filles ont pris les rênes. Sofia a
répondu qu'elles allaient réfléchir ce soir et on s'est quittés sur
ces mots d'adieu. J'étais bel et bien mis en examen.

260 C'est ainsi que mon rêve de Guidel s'est s'éloigné. La fille
avait lancé une dernière bouée de sauvetage à nos amours nais-
santes, ou en hommage à nos amours mortes :

« Vous savez où me trouver… ! Si le désir vous vient. »

Mes deux anges gardiens m'ont immobilisé du regard afin
265 que je ne me retourne pas. Il n'y avait pas de sirènes qui tien-
nent, ni de Circé, ni de chevaux du Soleil et encore moins de
désir à venir. Je courais le risque d'être transformé en porc assez
rapidement. J'étais groggy. J'ai repris le chemin d'Ithaque[1], la
queue basse, le cœur en peine. Elles avaient réussi à bazarder
270 mon destin !

Sur le chemin du retour, la guerre des Amazones[2] n'était
pas terminée. Sofia s'étonnait de la grossièreté du prétexte : un
groupe qui arrivait le lendemain de Brest, et puis quoi encore !
Elle nous prenait pour des demeurés, l'écuyère aux gros seins ?
275 Avec le temps pourri qui était prévu sur Ouessant, fallait être
masochiste pour y venir faire de l'équitation !

Nous sommes rentrés à la maison avec beaucoup de silences

---

1. Île grecque. D'après l'*Odyssée* d'Homère, Ulysse était le roi d'Ithaque.
2. Dans la mythologie grecque, peuple de femmes guerrières.

entre nous, comme à chaque fois que nous nous chamaillions.
Je me suis mangé la peau des ongles pendant que nous péda-
280 lions sur la lande. Des gouttes de sang ont perlé de chacun de
mes doigts. L'éclatant chemisier années 60 est resté comme une
offrande gâchée. L'amour jouait à colin-maillard avec moi. Ou
bien au dîner de cons.

Je ne parvenais pas à refaire surface. Je n'ai pas goûté le repas
285 que les filles avaient gentiment préparé, du pain perdu. Perdu ?
Je l'étais moi-même déjà assez. Les pauvres, elles étaient tellement ennuyées par ma tristesse. Elles ont mangé leur pitance,
ont fait la vaisselle et se sont installées devant la télé. Je suis sorti
dans la nuit. Elles m'ont suivi des yeux. Dehors, j'ai interrogé
290 à nouveau le ciel de mes ancêtres pour trouver des explications
à mes tourments, mais l'un d'eux s'en est pris violemment à
mes tergiversations : « Tu es un père ou un homme ? Faudrait
trancher ! »

Il était en colère. Mes errements finissaient par lasser tout
295 l'Olympe[1], je n'étais pas un sujet facile, j'en convenais. J'étais
un indécis malheureux.

Un peu plus tard, je suis allé me coucher, le cœur bouffi.
Quand un homme ne fait pas l'amour pendant longtemps,
son palpitant se gorge de sang, s'alourdit et descend le long des
300 côtes. Toute la nuit j'ai fait l'amour avec l'écuyère. Quand elle
atteignait une trop haute vague de plaisir, je mettais ma main
sur sa bouche, une digue, je la suppliais, chut, je t'en prie, tu

---

1. Dans la mythologie grecque, lieu où résident les dieux.

vas réveiller mes filles. Je voyais même l'affreuse juge des affaires familiales qui matait par le trou de serrure mes ébats. Et puis, au bout de plusieurs tentatives d'étouffement des gémissements, mon écuyère s'est levée du lit, elle s'est habillée et elle est partie, sans un au revoir, elle s'est diluée dans la nuit. J'ai trouvé la force de murmurer, à bientôt, peut-être, si le désir vous vient.

Un soir, au crépuscule, profitant de la finale de *Star Academy*
qui captivait mes deux écuyères fourbues, je suis revenu au pied
du *Leuchtturm*. J'avais apporté une bouteille de champagne
achetée la veille et deux flûtes, une pour elle et l'autre pour
5 moi. Alentour, il n'y avait que les vagues et moi, entourés de
quelques harpistes. J'ai expédié le bouchon moët-et-chandon
dans les étoiles et je me suis versé à boire. Plusieurs fois, j'ai
trinqué avec la tour de lumière et les constellations. Je regardais la surface moirée[1] des flots, m'abandonnant au bonheur
10 de respirer les embruns de l'amour à venir. Circé de Guidel
s'avançait dans le noir, légère et court vêtue…, étais-je en train
d'imaginer, quand j'ai entendu des pas dans mon dos. Des
graviers avaient roulé sous des semelles. J'ai pivoté. Une ombre
s'enfuyait, ondulant sur les galets blancs. Ma peau se couvrit
15 de délicieux frissons. Je savais qu'elle reviendrait. À cet endroit
précisément. À l'idée que j'allais la serrer dans mes bras, une
ondée m'envahit, mes quatre litres de sang affluèrent entre mes
jambes pour soutenir l'effort à venir, le sentiment que mon
intuition visait juste m'exalta. L'homme revivait.

20 Promptement, je me suis redressé sur mes jambes, elle était
à peu près de la même taille que moi, j'aimais notre harmonie,
elle s'appuierait contre moi, je sentirais ses seins contre ma
peau, nous allions faire l'amour sur les galets.

La déception me glaça. Ce n'était pas elle. Je l'ai reconnu à
25 sa silhouette voûtée d'éternel fugitif. Monsieur Le Bihan. Une

---

1. Aux reflets changeants et ondoyants.

bouffée de colère, puis une autre de honte ruinèrent d'un coup
mon moral. Il m'avait entendu soliloquer dans le noir et boire
tout seul sous les étoiles et je n'aimais pas être découvert à
découvert. Mes mots ont claqué en l'air : « Qui est-ce ? » J'allais
30 le débusquer et l'inviter à trinquer avec moi.

« Y a quelqu'un ? »

J'ai attendu un peu.

Rien.

Alors, je suis revenu m'allonger sous le phare où mon
35 écuyère n'était pas venue. Il était encore plus compliqué que
moi, ce Breton noctambule.

« Vous êtes là ou vous n'êtes pas là ? J'ai questionné à nouveau. Si vous êtes là, dites-le, et si vous n'êtes pas là, partez ! »

Toujours pas de retour. Alors j'ai repris une flûte de cham-
40 pagne, je me suis allongé sous le ciel et je me suis remis à
soliloquer.

Quand j'ai eu fini la bouteille, j'étais dans l'infiniment
grand. Vers six heures du matin, un rayon de lumière m'a
réveillé, qu'est-ce que tu fais là, toi, tu as dormi là, sous la lune ?
45 Paniqué, j'ai aussitôt couru vers la maison de location, mort de
peur, j'avais laissé mes deux étoiles seules dans le noir.

Pouvait-il en être autrement ? Le coquelicot de Zola a fané dans la flûte de champagne et personne ne s'en est aperçu. La semaine s'achève comme elle a commencé, avec un épais grillage de pluie qui, de nouveau, tient l'île en captivité. Les archers indigènes sont increvables, pas comme la fleur éphémère au décolleté rouge qui pousse n'importe où, même sur les accotements des chaussées.

Après avoir refermé la porte, je repose la clé sous le coquillage à l'entrée de la maison, remets de l'ordre dans les massifs d'hortensias bleus, fais mes adieux à Pleureur, le nain en prostration éternelle sous son saule.

Le *Fromveur* part pour Brest en début d'après-midi, ainsi en a décidé la marée.

Nous aurions volontiers pris le car pour nous rendre au port en compagnie de Robert Redford, mais il faut rapporter les vélos chez Le Bihan, dire *kenavo* aux loueurs de cycles qui ont eu la gentillesse de nous surclasser en nous offrant la location du vélo bleu de Zola. Sans parler des crêpes faites maison et des compliments bien choisis aux filles.

Ma petite princesse ronchonne un peu. Elle n'aime pas dire au revoir, c'est trop triste. Elle préfère partir ni vue ni connue et de toute façon on ne va jamais revenir sur cette île, n'est-ce pas ? En tout cas pas elle. Alors on ne va pas faire les hypocrites devant les loueurs de bicyclettes avec de faux au revoir. On ne les reverra jamais, ni eux, ni leur phare de la Jument et leurs vélos. Elle accentue ses gémissements lorsqu'elle voit arriver le troupeau de vaches avec leurs bouses abandonnées sur le

bitume, puis elle se calme. Elle sourit même. Je sais pourquoi. Elle a une bonne raison d'espérer, à présent : la libération est
30 proche. Dans quelques heures, inch'Allah, elle posera le pied sur le même continent que sa maman, finie la *saudade*, vive le golden retriever, finies les femmes-chevaux baroudeuses. Si ça se trouve, elle va arriver dans les bras de sa mère avant la carte postale qu'elle a envoyée ; en juillet, les facteurs ne pressent
35 jamais le pas.

Son visage est devenu un phare. *Lighthouse,* en anglais. Il souffle une belle lumière. J'en suis un peu heureux pour elle.

À l'intérieur du magasin de cycles, cette fois, en plus du chat : monsieur et madame en personne. C'est rare. Elle, elle sourit.

40 « Le séjour s'est bien passé, les Lyonnais ?

– Oui, merveilleusement.

– On rentre à Lyon ?

– Oh oui ! » s'écrie Zola.

Son empressement me fait peine et joie. Je feins de rire,
45 comme madame Le Bihan qui surprend ma blessure. Ensuite, j'enfouis le regard dans mon portefeuille pour en retirer des billets de banque.

« On va régler la facture », je dis.

Je dégote un ou deux superlatifs pour dire ma joie d'avoir
50 connu Ouessant. Je suis venu, j'ai compris mon ami Yvon. Il y a partout du vent d'amour sur ces falaises et sur la lande. C'est une île de poètes. J'ai failli y rester.

« Je vous prépare ça », dit madame en s'installant derrière sa caisse.

⁵⁵ L'air de rien, monsieur range nos vélos dans la longue chaîne des autres inutilisés, ses oreilles tendues vers nous.

Il est temps de se dire au revoir.

Madame demande où nous allons poursuivre nos vacances après Ouessant, je dis nous restons en métropole, et tout à
⁶⁰ coup elle rit fort, et lui aussi, ils rient au diapason, comme un couple uni, puis il me fait remarquer que la Bretagne fait partie de la « métropole ». Je me corrige aussitôt : « Je veux parler du "continent", on n'est pas dans les territoires d'outre-mer ici. »

En vérité, j'ai lancé cette coquille à la mer à son adresse et elle
⁶⁵ a touché sa boîte aux lettres en pleine serrure.

Je paye la facture que madame me présente. Les histoires d'argent, c'est elle qui s'en occupe. Lui y rechigne, à l'évidence. Elle encaisse, en prenant garde de ne pas montrer d'excès dans ses comptes afin de ne pas me gêner, parce que cette proximité
⁷⁰ que nous avons eue pendant ces jours n'était pas seulement commerciale, mais aussi sentimentale. Elle dit que ça ira, avant de se mettre à prononcer des mots en chaîne, c'est fou ce qu'on peut dire de choses pour habiller le temps. Elle pose l'argent sur le comptoir, puis elle nous fait un au revoir. Elle espère que
⁷⁵ nous reviendrons l'année prochaine, elle possède deux appartements de location près du phare de la Jument, elle sait que nous aimons ce coin et elle nous en propose un, elle est sûre qu'il sera meilleur marché que celui de madame Legris que personne n'apprécie sur l'île, elle est si près de ses sous que son cœur s'est
⁸⁰ métallisé ; elle ne donne pas une bonne image des gens d'ici, même les responsables de l'office du tourisme le savent, mais

personne n'en dit mot. L'année dernière, les clients qui avaient loué sa maison s'étaient déjà plaints. Ils ont affirmé qu'elle était hantée, infestée de souris et d'araignées, et que le miroir de la
85 salle de bains reflétait des choses vraiment bizarres la nuit.

Impatientes, mes filles s'approchent de la porte, signe que ça commence à bien faire, les commérages de comptoir. Zola se met à divaguer à haute voix sur le miroir bizarre, sa sœur corrobore. Et les araignées ! Juste à penser qu'elles ont dormi dans
90 cette fourmilière, elles ont la chair de poule.

Je dis à madame Le Bihan que c'est gentil de penser à nous pour l'année prochaine, mais que probablement nous irons au Sud, au grand soleil, faire de la photothérapie.

Mes filles sourient d'approbation.
95 Monsieur Le Bihan s'autorise un petit sourire.

« Kenavo ! dit Zola. Allez, venez, on s'en va.

— Au revoir, dit Sofia.

— Vite ! poursuit Zola. Faudrait pas qu'on rate le bateau ! »

Moi je voulais dire « Salam Ouessant », mais je l'ai gardé
100 pour moi. Je ne sais pas pourquoi, mais j'ai l'intuition que ce couple de mots pourrait gêner Le Bihan.

Je referme la porte derrière moi.

« Attention au chat ! Il veut toujours partir, avertit madame. On dirait qu'il n'est pas bien ici, pourtant c'est chez lui. Dès
105 qu'une porte s'ouvre, il veut la franchir. »

Le minou se rétracte en souplesse et reste au foyer.

Nous nous mettons en marche, bagages en main, en direction du chemin qui mène au quai. J'ai le cœur lourd et léger à la fois. Lourd, car je ne verrai plus mes filles pendant de longues semaines. Ce sera mon grand hiver. Mais elles vont retrouver
5 leur mère et leur bonheur est un peu le mien. Ce sera mon petit printemps. Comme à mon arrivée sur l'île, une ondée nostalgique me submerge et il n'y a rien à faire, car cela dépend de la position de la lune, du soleil et de la terre.

C'est alors que j'entends dans mon dos un chuchotement,
10 le sifflet d'un lasso, hep, s'il vous plaît, monsieur… ? Je me retourne, c'est Le Bihan, engoncé dans sa chemise à carreaux qu'il n'a pas quittée de la semaine. Il vient vers nous à la manière de l'inspecteur Colombo, les doigts de la main droite grattant ses cheveux et l'autre tendue vers le ciel, flottant dans
15 un gros gilet en laine râpée qui le vieillit. Le dos encore plus arrondi que les jours précédents, il demande s'il peut me poser une question qui lui trotte dans la tête depuis que j'ai débarqué dans son magasin au début de la semaine. Son visage s'est transformé. Un début d'arc-en-ciel éclaire ses joues. Je dis oui bien
20 sûr, pour le mettre à l'aise, comme j'ai essayé de le faire depuis notre première rencontre.

« De quel pays êtes-vous ? »

Il a lâché ça avec une gêne. Étonnée de la question, Zola s'empresse de dire « De Lyon ». Je réponds aussi « De Lyon »,
25 mais il n'a pas le cœur à feindre et ajoute : « Je parle du pays d'avant », oui, quel est mon pays d'avant.

Je fais l'ignorant en fronçant les sourcils : « D'avant ?

D'avant quoi ? Ma naissance ? » Il laisse échapper un rictus
mi-figue mi-cactus, l'air de dire arrête de tergiverser, toi et moi
30 nous devinons des choses qui passent à côté des Français indigènes comme les super-tankers sur le rail d'Ouessant.

Ça va, c'est bon, j'ai compris. Je mets fin au double jeu.
J'entends cette question depuis ma naissance, de quel pays
êtes-vous ? Tous ces gens qui, voyant ma face de pastèque, me
35 demandent de quelle île je viens et sous quel soleil j'ai mûri. Je
dis, ah oui, vous voulez parler du pays de mes parents. Il hoche
la tête, oui, oui, petit, tu as compris, vas-y, raconte-moi pour
que je puisse revenir, raconte-moi là-bas pour que je puisse
encore rêver. Ramène-moi là-bas, je t'en supplie. Il ferme les
40 yeux pour mieux voir.

L'Algérie.

L'Algérie est une enfance.

On est sur un même bateau, moi le *Ville-de-Marseille* et lui
le *Ville-d'Alger*. Moi d'ici, lui de là-bas. Il ferme les yeux. Moi
45 aussi. Une histoire passe sur notre quai, livrant ses odeurs,
ses couleurs, son agitation, une rue effervescente, un vendeur
ambulant de *kémia* et de *loubias*[1]. Des volets blancs s'ouvrent.
C'est l'aube. La lune rousse est une boule de bilboquet juste
au-dessus de la pointe du minaret où le muezzin[2], d'un haut-
50 parleur aphone, appelle les croyants à la prière. Du balcon,

---

1. Plat à base de haricots blancs (langue arabe).
2. Dans la religion musulmane, personne qui appelle à la prière.

on aperçoit la marche des ombres en djellaba immaculée, arc-boutées sur des canes, traînant leurs babouches en direction du salut de leur âme. Les silhouettes se fraient un passage dans le mur et ondulent contre les murs des maisons basses du quartier
55 de la gare.

Mes yeux toujours fermés, je dis à Le Bihan, tu vois, c'est là que notre vraie maison se trouve, dans cet entrelacement de rues que les Arabes d'ici ont appelé *l'angar* dans leur langue bricolée, ou le quartier des *chiminous*, pour dire cheminots. Les
60 coqs enflamment leur gosier pour secouer le matin à coups de clairon et, tandis que les chats s'étirent, les deux pattes avant tendues sur le bitume, les chiens osseux font vibrer leurs cordes vocales, la gueule orientée vers les ombres qui coulent sur les façades. La ville ouvre un œil. Un réalisateur invisible crie dans
65 un entonnoir « Moteur, action ! », et le monde se met à jouer sa comédie :

des vendeurs ambulants poussent leurs carrioles montées sur des roues de camion en louant les qualités de leurs *tomatiches, batatas, loubias* ;
70 des enfants portent des thermos d'eau fraîche vendue au verre, un douro *el kess*[1], cinq centimes le verre ;

d'autres tirent des brouettes chargées de pastèques et garantissent leur teneur en sucre, prélevant un morceau devant chaque client et annonçant gratuit, le prélèvement, gratuit ;
75 un aveugle pliant sous le poids de ses tapis cogne de son bâton le rebord du trottoir dans l'indifférence des passants…

---

1. Le verre (langue arabe).

Entre ces marchands nomades rescapés du Moyen Âge, se faufilent, pétaradants et poussifs, les petits véhicules italiens, les Lambretta à trois roues, débordant de marchandises, rafistolés,

80 des vélos début de siècle, des cyclomoteurs d'avant l'indépendance, des voitures *Bijou* 203, 403 et 404, des taxis noir et rouge foncé.

Des chauffeurs pressés invectivent des enfants qui font des dribbles sur la chaussée, le nez sur leur ballon de chiffon.

85 Un paysan stoïque[1], la tête enveloppée dans sa chéchia[2] blanche, traverse cette mêlée à dos d'âne, sa baguette entre les doigts pour gouverner son animal bâté.

Un enfant espiègle s'approche du derrière de la bête où campent des colonies de mouches et la pique d'un clou, alors l'âne

90 si doux se met à courir dans tous les sens, il bouge ses oreilles, il a peur des abeilles, son cavalier s'affale par terre en maugréant, se redresse, brandit sa canne de bois et part à la poursuite de l'espiègle, bousculant l'aveugle porteur de kilims[3] berbères.

Aux terrasses et aux balcons des maisons, les femmes époussettent

95 draps, tapis multicolores et édredons en suivant par épisodes le spectacle du macadam. Elles ont de belles dents blanches, les gazelles des terrasses et des balcons, pas comme le rémouleur[4] qui déboule en poussant devant lui sa roue à aiguiser les couteaux et qui les alerte de sa présence en ouvrant

100 sa bouche affûtée : « Aux lames, citoyens ! Rémouleur, j'arrive !

---

1. Impassible.
2. Couvre-chef masculin porté par certains musulmans.
3. Sorte de tapis.
4. Qui aiguise les outils et instruments tranchants.

Apportez vos lames. »

Dans cette marmite, tout le monde souriait. Le monde entier souriait. Il y avait de la joie dans l'air. On avait une vraie maison. Aucun loup ne pouvait souffler dessus et la détruire. Le
105 béton était armé. Toute ma vie, j'aurais un foyer sur ma terre ancestrale, chez les *Ouled Bendiab*, où je pourrais me réfugier en cas de double peine en France.

« C'est ce que je croyais aussi », dit Le Bihan, que toute sa vie, il aurait une terre à embrasser. Et pourtant.

110 Il me dit que je suis un bon conteur.

Il se tait.

Son corps entier gonfle comme une larme.

Mes filles sont bouche bée. Elles se demandent ce qui se passe sur le pavé humide de cette île étrange.

115 Le Bihan déglutit. Il laisse fuiter son regard à droite, puis à gauche, enfin vers le sol, la terre.

Algérie : le mot l'a percuté. Sa tête ne tient plus sur le cou. Ses lèvres ont séché. Il soupire :

« J'ai tout de suite vu que vous étiez de là-bas. »

120 Il s'approche de moi, me sent, me hume comme une bête, il veut retrouver son enfance ; j'ai déjà vu ma mère humer ainsi la tache d'huile sur le bitume qui a tué Malik. Il me tutoie maintenant, sur les pavés mouillés du port d'Ouessant. Il se met à me tutoyer sans fioritures, les fioritures c'est pour les autres, pas
125 pour nous. On est du même pays.

Mes filles regardent la jetée où le bateau nous attend, moteur ronflant, puis Le Bihan et moi, cœurs fondants.

Elles ne savent pas notre passé, mais peu importe, elles voudraient surtout m'informer du temps qui a déjà coulé.

130 « Papa, il faut y aller sinon on va manquer le départ. »

Mais l'homme se rapproche de moi et se met à pleurer dans
mes yeux. Il est de la tribu des pieds-noirs, il est né là-bas lui
aussi, à Alger, me donne le nom précis de son quartier, Bab
el-Oued[1], celui de sa rue, Marengo, le numéro, 5 bis, au troi-
135 sième étage, à droite en sortant de l'ascenseur, qui ne marche
jamais bien sûr, où tu as vu un ascenseur qui marche à Alger à
cette époque, hein ? Il commence à me raconter les champs de
blé dans sa *mitidja*[2] où il allait le dimanche en famille, la pureté
du ciel et celle de la baie qui combinaient leur azur, le samedi
140 à la pointe Pescade, les filles bronzées aux robes éclatantes de
couleurs à Saint-Eugène, l'anisette à Bab el-Oued. Il jure qu'il
était ami avec tout le monde, des gens heureux, là-bas, il n'a
jamais fait de différence entre indigènes et allogènes, musulmans et Européens, on est tous des métèques, avec la même
145 tête de pastèque.

Je suis d'accord, n'est-ce pas ?

Oui, bien sûr, comment pourrais-je ne pas l'être, quand on
est heureux on n'a pas de raison d'avoir peur des voisins, on dit
bonjour à n'importe qui.

150 Oui, c'est ça, des voisins, il répète comme Joe Dassin[3]. Il
pleure dans ses yeux à lui, maintenant. À grosses gouttes. Il

---

1. Célèbre quartier populaire d'Alger.
2. Plaine située dans l'arrière-pays d'Alger.
3. Chanteur français (1938-1980).

pleure et il pleut en même temps, tous les chanteurs de fado de Lisboa célèbrent en chœur l'amour perdu, l'absence, la *saudade*, accompagnés par les mouettes. L'orchestre à mille cordes
155 cherche un coin de ciel sec. Mes filles ouvrent leurs petites mains en parapluie et me supplient :

« Vite, papa, il faut se mettre à l'abri ! »

Mais à l'abri de quoi ? je leur réponds par un geste, à l'abri des larmes de cet homme dont l'enfance a choisi ce moment
160 pour remonter au jour ? Mais vous voyez bien qu'il faut que je lui parle, je ne peux pas le laisser s'épancher comme ça sur le quai, ses lèvres vont faner comme le coquelicot dans la flûte, il va se vider. La solitude lui a déjà tiré tant de sanglots.

Je sais ce que c'est.

165 Je me retourne lentement vers ce frère.

Je vais lui dire que je suis désolé, mais mon pays, c'est Lyon, l'Algérie n'est que la terre de mes origines, celle des mois d'août de mon enfance, je m'en suis rempli quand j'étais petit, mais ce n'est plus réellement ma terre à moi, tu comprends ?

170 Je me rapproche de lui, je pose la main sur son épaule, impossible de sortir une phrase, ses pupilles sont à flot, il dit des mots arabes maintenant, des mots d'amour, des mots d'enfance. Je le laisse faire revivre son pays avec les lettres de l'alphabet. Il dessine ses souvenirs, des moutons et des sourires.

175 Ça y est, il le revoit à présent, le brouillard se dissipe, il l'aperçoit à travers mes yeux qu'il fixe intensément. Je les lui prête volontiers. Retourne à ta maison, celle de tes parents, au 5 bis de la rue Marengo.

Il a dégazé son histoire sur le quai sans respirer. Il la retenait
dans son ventre depuis son départ de là-bas. Après l'indépendance en 1962, la peur a gagné et s'est diffusée comme une
traînée de poudre à tous les étages de son immeuble, l'histoire
prenait un virage en épingle à cheveux. Il a fallu faire sa valise
et partir à la hâte, à l'aveuglette, la nuit, comme des mouettes.
    Il a embarqué sur un bateau, le *Ville-d'Alger*, direction
Marseille. Il est allé en métropole. Il a posé sa valise sur le
continent. Il n'a pas osé regarder derrière lui la baie de la ville
blanche qui se refermait sur son enfance, les filles bronzées de
la pointe Pescade, l'anisette et la kémia[1] de Bab el-oued, les
champs de blé à Palestro[2], les parties de foot, le ballon en chiffon, l'odeur de la gomme et du crayon.
    Arrimé à la proue du *Ville-d'Alger*, il est parti en brisant les
rétroviseurs. Il fallait effacer ses traces dans le sable, comme ça
il n'y aurait plus rien derrière lui, tous les souvenirs seraient
broyés et il dirait comme les Arabes fatalistes : « *Chi li fate,
mate* », ce qui est passé est mort.
    Il se souvient qu'il s'est juste penché sur le bastingage et qu'il
a vomi *kémia* et anisette, les gens sensibles faisaient comme lui
sur le pont et le vent n'arrangeait rien à l'affaire, il y en avait
partout, de la marmelade de vie brisée, et cette nostalgie sentait
la bile.
    Le Bihan sait ce que partir veut dire.

---

1. Assortiment d'amuse-bouches.
2. Ville algérienne.

Voilà pourquoi il n'est jamais allé à Brest.

« Aller à Brest ? Pour faire quoi ? »

205 Des phrases comme celle-là vous laissent en rade, parce qu'en peu de mots, elles disent tant de maux.

« Il faut partir, papa. »

Last call[1] de Zola avant fermeture des portes.

En 1962, sous le soleil d'acier, le *Ville-d'Alger* a tracé sa route 210 vers le large en direction de la *Fromveur*. Les mouettes ont préféré rentrer à la maison, en lieu sûr. Elles ont dû penser qu'un tiens vaut mieux que deux tu l'auras. Les mouettes n'ont jamais été des albatros. Le bateau est entré dans le grand large. La lourdeur salée des fonds marins s'est posée sur le pont comme 215 l'avancée d'une guillotine en place de Grève. Les gens se sont regardés, incrédules. Ils ont cherché dans les yeux des autres pour voir si un horizon se profilait à la proue du bateau, pour définir les contours d'une nouvelle existence, il n'y avait rien que du bleu, du bleu partout, du bleu incessant, engloutissant, 220 avec ses pincées d'écume blanche qui faisaient penser à des milliers de baleines alarmées qui recrachaient de l'eau de mer par les narines parce qu'elles s'asphyxiaient.

Le Bihan a pleuré ce qu'il lui restait de larmes. Plus grand-chose. La pompe n'avait plus rien à tirer. Comme mon père, 225 il était homme à se cacher pour souffrir et ne gêner personne.

Le pied-noir n'a jamais quitté sa chemise yéyé de 1962. Au

---

1. Dernier appel (langue anglaise).

fond, elle ressemble à celle de l'écuyère de Guidel. Bien sûr, les couleurs se sont délavées avec les années, comme l'hortensia sous la pluie à l'entrée de la maison d'Ouessant, mais il l'a
230 gardée sur lui. Il me dit que sur le chemin de l'exil, il aurait pu s'arrêter en Corse ou à Porquerolles[1], comme la plupart qui ont choisi d'y faire halte, mais comme c'est un homme qui a toujours avancé, il a poursuivi sa transhumance[2] vers le nord.

Le *Ville-d'Alger* l'a débarqué à Marseille au port de La Joliette,
235 exactement au même endroit où, en 1964, j'ai fait le premier voyage au pays avec ma famille, sur le *Ville-de-Marseille*. Il a dû voir le *faro* et la Bonne-Mère. De là, il a marché à l'aveuglette jusqu'à la gare Saint-Charles en remontant la Canebière, il a pris place dans un train les yeux fermés, à l'intérieur du
240 compartiment personne n'a partagé avec lui de casse-croûte, ni de pastèque, ni de melon. Il s'est endormi, la tête collée contre la vitre sale, parmi des travailleurs immigrés algériens accablés par la fatigue de l'aube. Il s'est demandé vaguement ce qu'ils étaient venus faire ici, loin de chez eux, quand la voix
245 mécanique du contrôleur a scandé : « Avignon, Avignon, deux minutes d'arrêt. »

Il a vu ces ouvriers hagards descendre comme des robots, tête baissée, avec leurs vêtements fripés et leur sac en toile à carreaux en bandoulière. Il avait le cerveau dans la brume, ça puait dans
250 le wagon, des gens mangeaient du saucisson et des fromages

---

1. Île rattachée à la ville d'Hyères en Méditerranée.
2. Déplacement.

coulants de France, il se souvient des éclats de voix d'un enfant qui s'était réveillé dans les bras de sa mère et qui pleurait, et puis ensuite plus rien, le roulis régulier du train sur son couloir métallique, la lumière du jour qui monte, des gares traversées à
255　la hâte, Valence, Lyon-Perrache, Dijon, et l'arrivée à Brest des heures plus tard, le plus loin possible du soleil du 5 bis de la rue Marengo, en pleine couche nuageuse.

　　« Brest ! Brest ! Terminus du train. Tout le monde descend. »
　　La voix du contrôleur était blanche et sèche. Sans appel.
260　　Il n'y avait personne à l'arrivée. À part un chat qui, planqué sous une voiture, l'observait avec ses yeux vert-bleu.

　　Aucun porteur pour prendre ses bagages. Quels bagages, du reste ? Sur le quai de la gare, il n'était rien, personne, une ombre, à peine.

265　　Il a fait un tour sur lui-même, il lui semblait qu'il n'était pas encore assez loin de tout. Il s'est approché de la mer. Il pleuvait à verse, il n'avait pas de ciré, pas de parapluie. Tout trempé, il a demandé, à un indigène breton qui attendait là, le nom du point qu'on voyait au loin, à l'horizon.

270　　Le type, pas rassuré par ce vagabond, a dit « À quoi faites-vous allusion ? », avant de répondre « Molène », puis le fils d'Alger a demandé « Et l'autre ? », celui encore plus loin, dont on devinait la silhouette derrière.

　　L'indigène a dit : « Ouessant. »
275　　Alors il a pris un bateau et a échoué à Ouessant.
　　Sous la pluie, dans la tempête, dans le noir.
　　Il se souvient qu'il n'avait pas de sous pour payer la traver-

sée. Il a regardé le commandant de bord dans les yeux et il lui
a simplement dit : « Laissez-moi passer, s'il vous plaît, je vous
280 paierai quand j'aurai trouvé un ancrage sur l'île. »

Le commandant a répété : « Un ancrage ? Sur l'île ? »

Il a ricané, a tourné son regard vers ses hommes d'équipage,
ensuite il lui a dit : « Allez, montez, puisque la marée monte
aussi, autant faire d'une pierre deux coups. »

285 Le bateau s'est jeté dans la mer.

Le Bihan jamais ne regarda derrière, toujours devant, jamais
derrière, cap sur le Finistère.

Là-bas, tout au fond il y avait l'Amérique, mais c'était un
autre monde, une autre histoire. Il ne parlait pas anglais. Il
290 n'a jamais su comment se dit « phare » dans la langue de
Shakespeare. Ce n'était pas une contrée pour lui, il était sûr
qu'il n'y avait pas de jasmin ni de bougainvilliers.

Le commandant a été remboursé. Le Bihan et lui se sont
liés d'une amitié qui a résisté à toutes les corrosions, de la mer,
295 du ciel et de la terre. Aujourd'hui, il repose en paix à côté des
parents d'Yvon Le Guen au cimetière d'Ouessant. Son souvenir vogue toujours dans la mémoire des gens d'ici.

Le Bihan sort un mouchoir de sa poche. Il s'essuie les joues,
le tissu est déjà tout mouillé, mais il s'en moque. Il toussote,
300 se racle la gorge, avant de dire qu'il a laissé l'amour de sa vie
là-bas, sur le quai, une Algérienne, « belle comme… ».

Il fait une pirouette, puis une spirale avec la main droite
pour sculpter sa beauté. Comme moi, il dessine des gestes
quand les mots manquent. Il veut dire belle comme le jour en

305 somme, fallait voir ses yeux verts, son nez racé, de la race des aigles, l'élégance des filles berbères, avec des chevilles taillées pour des chaussures de Cendrillon.

Elle habitait juste au-dessus de chez lui à la Casbah[1].

Elle s'appelait Aïcha.

310 « Elle était *belle comme la lumière.* »

Il s'est mis à sourire de sa trouvaille. Puis ses yeux se sont vite empêtrés dans une marée de larmes.

Il a recommencé à tousser.

Est-ce que je connais la Casbah ? Les pentes de la Croix-
315 Rousse à Lyon, oui, je connais ce haut lieu des canuts de la rue Jacquard, du nom d'un jeune homme qui fut proposé au XIXe siècle comme modèle à tous les travailleurs, fils d'un pauvre ouvrier tisseur et d'une ouvrière en soie, qui vécut les souffrances que les ouvriers de cette époque avaient à endurer
320 pour tisser la soie…, ça oui, je connais.

Je sais également les mots du lyonnais comme *calot, pâti, cani, vogue, gone,* aujourd'hui tous disparus, emportés par les courants de la Saône et du Rhône comme mon cartable d'école primaire et les poèmes à Louise, mais la Casbah, non.

325 J'en suis navré, frère.

J'aurais aimé.

Des larmes me viennent à moi aussi. Je pleure avec lui son pays perdu, que je ne connais que les mois d'été. On a l'air de deux chanteurs de fado de Lisboa qui imitent les mouettes de
330 la mélancolie.

---

1. Quartier d'Alger.

Le bateau fait hurler sa sirène. C'est une prière. Il va lever l'ancre sous peu.

Mes filles s'affolent.

« Papa, s'il te plaît, allez, viens, on s'en va ! »

335 Je dis à Le Bihan : « Excuse-moi, frère, je pars, maintenant, c'est tout ce qui me reste à moi aussi, leur amour, parce que tout a foutu le camp, tout le reste, les entends-tu ces deux êtres que j'aime tant ? »

Il me dit : « Va, retourne à elles, elles sont belles et elles t'ai-
340 ment sans compter. » Il m'étreint dans ses bras en disant des mots arabes que je ne comprends même pas.

La tête basse, il reprend : « Si vous voulez, je vais vous accompagner en voiture jusqu'à l'embarcadère. » Et tout à coup, un souvenir lui vient encore, il avait un copain au numéro 7 de la
345 rue Marengo qui s'appelait Kader et ça le fait sourire à cause du mot « embarcadère ».

Mes filles paniquent, si le loueur se met lui aussi à faire des jeux de mots, elles ne vont pas s'en sortir. Et puis monter dans ce tas de ferraille ambulant ? Il risque de nous conduire droit
350 au cimetière d'Ouessant !

Zola fronce les sourcils. Elle exige de retrouver sa mère demain. Elle insiste sur le mot : demain. Elle attend ce moment depuis le premier jour du débarquement dans ce bled paumé, cet *Enez Eusa*, ce Finistère austère, alors on n'a pas intérêt à
355 rater le départ du *Fromveur*, sinon il n'y aura plus jamais de vacances à trois, si je vois ce qu'elle veut dire.

« Finito le trio ! »

Je vois parfaitement ce qu'elle veut dire, oui ma chérie, j'ai saisi, n'aie crainte, n'aie plus peur, je serai toujours à tes côtés,
360 jamais loin, tu n'auras qu'à appeler et j'accourrai. Je l'ai déjà dit à l'inspectrice des affaires familiales, la vieille pie à la robe plissée, la parole d'honneur dans notre tribu est sacrée.

La guimbarde n'est pas une *Bijou* 404, mais une *Rino* 4 ailes. Un seul essuie-glace a résisté au temps et il n'y a aucun
365 rétroviseur extérieur pour ne pas risquer de se retourner vers le passé. Le Bihan dit que là-bas, il n'avait pas d'essuie-glaces sur sa voiture parce qu'il ne pleuvait jamais. Oubliés les hivers rudes et les pluies rouges qui charriaient la latérite sur les routes défoncées. Il devient un enjoliveur de vérité. Il dit que les para-
370 pluies là-bas s'appelaient ombrelles, c'est un joli mot pour un beau soleil. Il raconte qu'il y en avait de toutes les couleurs pour protéger la peau des filles sensibles, même des violets, la couleur du vélo que mon père ne pouvait m'offrir.

Il passe une vitesse en tirant sur le levier sous le volant, ça
375 craque, il sourit.

« Tu connais la plus belle ? »

La plus belle ? Il a déjà dit son prénom, Aïcha.

Non, il veut parler d'autre chose, c'est vrai qu'Aïcha était la plus belle et qu'ils se baladaient main dans la main sur le front
380 de mer, fallait voir l'effet, tous les regards pivotaient vers eux comme des tournesols, parce qu'ils étaient le soleil.

Alors je ne sais pas de quelle plus belle il veut parler à pré-sent. Il dit :

« J'ai été gardien du phare d'Ouessant pendant dix-huit ans !

– C'est pas vrai !

– Sur ma vie. »

Il jure sur sa mère en se marrant malicieusement, comme s'il avait pris une revanche sur un nuage.

« Incroyable, non ? C'était pour rallumer la lumière de là-bas. »

Il passe la seconde. Elle craque encore plus que la première, les rotules sont fracassées, les pistons crevés, la chaîne de distribution branlante et l'embrayage n'a plus l'âge d'embrayer sur rien.

Soupir.

Il regarde mes filles et laisse sa phrase en suspens une seconde avant de la balancer à la corbeille, parce que ça ne sert à rien de couper les ailes des enfants. Il s'excuse pour ces effusions. Il souffre de la douleur du nid, lui aussi, comme tous les hommes à qui on a donné le jour et qui doivent se rendre à la nuit.

La troisième vitesse ne veut pas passer, il pousse à fond sur le levier, ça grince de partout, le moteur a une sale toux, il est près de caler. Alors l'exilé sort son atout, un as :

« J'ai un fils. »

Un as de cœur.

Il m'apprend qu'il travaille dans une troupe de théâtre, avant de sourire :

« Devine ce qu'il fait ? »

Je feins de réfléchir.

« Décorateur ?

– Non.

– Réparateur de phares de voiture ?

– Non.

– Acteur ? »

415 Non plus.

Je donne ma langue au chat.

« Éclairagiste !

– C'est pas vrai !

– Sur ma vie. »

420 Kenavo s'étire sur les genoux du gardien du phare.

Il s'en fout des histoires d'éclairagiste.

Le Bihan, c'est un nom d'emprunt pour sa vie provisoire, il l'a loué à sa femme et il lui a permis de s'intégrer, comme ils disent, d'être un homme invisible. Et de faire semblant d'être 425 d'ici.

Il caresse son chat. Il arrête son cercueil à roulettes devant la passerelle d'embarquement du bateau. Le commandant hurle qu'il faudrait maintenant sérieusement se remuer parce que la marée n'attend pas, elle, guidée par la position du soleil, de la 430 lune et de la terre, elle se fiche des retardataires.

Il coupe le moteur de sa 4 ailes. Il dit avec ses yeux qu'il n'en a plus rien à faire des eaux qui montent ou qui descendent, il est ailleurs, au-dessus de ces contingences physiques. Il m'embrasse. Ses larmes sont au coefficient maximal de marée. Le 435 commandant hurle encore ses menaces d'abandon,

« T'inquiète pas, c'est un Breton, le fils de celui qui repose maintenant au cimetière voisin. Il est comme nous autres, il a les cheveux au vent et le cœur sur la main.

– Je sais, ici tout le monde se connaît, je dis en me souvenant
440 des propos de Robert Redford à notre arrivée.

– Non, les gens d'ici ne me connaissent pas : tu es le seul. »

Il n'a jamais parlé ici de celui qu'il était là-bas, au 5 bis de la rue Marengo en bas de la Casbah et qui souriait à la belle Aïcha.

445 « Adieu, frère. »

Il dit on se reverra inch'Allah.

C'est son vœu.

Je dis je ne crois pas, je ne reviens jamais sur les lieux où j'ai été heureux.

450 Lui non plus n'a pas voulu regarder dans son dos son enfance qui restait à quai en 1962, tandis que le navire et sa vie prenaient l'eau.

La corne du *Fromveur* retentit de nouveau, faisant frissonner les quatre ailes de la *Rino*.

455 La marée monte. Je me retrouve à bord du bateau sans savoir comment. Mes filles me grondent comme si j'étais un rustre, comment auraient-elles fait, seules, si le *Fromveur* m'avait abandonné là ?

« Hein, tu y as pensé, à ça ? »

460 J'avoue que non.

Zola tempête.

Je lui dis : « Je t'aime. »

Elle dit : « Quoi ?

– Je t'aime. »

465 Et là, elle ne sait pas quoi dire. Pour une fois, elle reste sans voix.

Sa sœur la regarde et verse une larme. Je lui dis que je l'aime aussi. Et puis après je leur dis à toutes les deux :

« Vous êtes mon île au trésor. Ce que j'ai de plus cher au 470 monde. »

Alors elles se lèvent en même temps et on se serre les uns contre les autres, on fait un petit trépied familial qui résiste au vent mauvais. On se tient chaud.

Ensemble.

475 Sur la passerelle, une mouette guette, un goéland rouille.

Je n'ai même pas pensé à prendre des goûters pour la traversée. J'espère qu'il y a un bar à bord.

Le *Fromveur* défait ses cordes, il quitte l'embarcadère, retire ses amarres, et ses hélices fouettent la mer.

480 Je fixe la grosse corde remontée à toute allure par les marins qui l'enroulent sur le pont, avec leurs gestes ancestraux, vifs, précis et rassurants.

Les deux pieds ancrés sur la jetée, le gardien du phare d'Ouessant nous regarde partir avec ses yeux d'enfance. Dans 485 son dos, du sommet des falaises, des mouettes suivent les opérations. Il hausse le menton. Juste un peu, pour un adieu. Il ne lève pas le bras. Puis je le vois monter dans sa vieille guimbarde. Son chat l'a précédé. Zola me demande qui est cet homme étrange, mais gentil. Je dis :

« Un Algérien. »

Sofia redemande alors quand on va y aller, en Algérie, parce qu'elle ne veut plus voir la pluie en juillet, ni sentir l'odeur fétide de l'humidité. Je jure l'année prochaine, et comme elle cherche sa voie, elle répond *inch'Allah*.

La petite lance :

« Il y aura des chevaux roux comme ceux d'Ouessant. Mais on n'a pas besoin de guide, on se guidera tout seuls maintenant. Hein, papa ? »

J'ai pris mes deux chéries dans mes bras, en serrant les dents pour empêcher l'averse. Zola a dit :

« Pas trop fort, ça fait un peu mal, je suis un gentil coquelicot. »

Soudain, Ouessant nous rend un dernier hommage. Pour un bouquet final, tous les archers de la pluie se sont alignés sur le quai et ils ont expédié des milliers de flèches qui ont découpé le décor à la machette. J'ai laissé mes sirènes filer à l'intérieur du bateau, au bar-restaurant qui sert des pains au chocolat chauds. Elles en ont acheté pour toute une famille. Il n'y a rien de pire que de mourir de faim pendant une traversée.

Je suis resté sous la pluie en javelots, sur le pont, accoudé au bastingage. Dans le ciel orange, j'ai vu deux cigognes africaines qui tendaient un ruban rouge, mélangeant les couleurs d'ici et de là-bas. Puis une mouette a lancé une dernière prière, la mer a plongé dans le silence et emporté avec elle l'Algérien du phare d'Ouessant.

Après-texte

Lire

La traversée (pages 9 à 31)

1 Qui sont les personnages ? Où sont-ils ?

2 Identifiez le narrateur. Que redoute-t-il ?

3 Qu'aurait souhaité Sofia ? Pourquoi ? Quels éléments provoquent leur réminiscence ?

Débarqués à Ouessant (pages 32 à 69)

4 Quelle est la réaction des filles une fois arrivées ?

5 Comment le narrateur justifie-t-il le fait d'avoir choisi Ouessant comme lieu de vacances ?

6 De quel autre débarquement est-il question ?

Réflexions sur la paternité (pages 70 à 78)

7 Dans la maison de location, que ressentent le narrateur et ses filles ?

8 Quel personnage du passé du narrateur refait surface ? Par quel procédé le narrateur fait-il revivre le passé ?

9 Qu'est-ce qui met en colère le narrateur ? Pourquoi ?

10 Que décide de faire la famille ?

Première nuit – premières journées (pages 79 à 90)

11 Quelle association d'idées provoque chez le narrateur la lecture du roman « Je pars » ?

12 Avec qui le narrateur s'entretient-il silencieusement ? Qu'est-il arrivé à ce personnage ?

13 Comment la première journée se déroule-t-elle ?

Rythme de croisière (pages 88 à 108)

14 Que réclament les filles à leur père ?

15 Pourquoi la famille doit-elle se rendre à nouveau dans le magasin de cycles ?

16 Pourquoi le propriétaire du magasin, Le Bihan, intrigue-t-il les fillettes et le narrateur ?

17 Qu'arrive-t-il au narrateur sur la lande ? En quoi est-ce important ?

Le cadeau (pages 110 à 133)

18 Quel cadeau le père réserve-t-il à ses filles ?

19 Quel nouveau personnage s'invite dans le trio familial ? Comment est-il accueilli ? D'après vous, pourquoi ?

Fin des vacances (pages 134 à 157)

20 Une fois les vélos rendus et la facture payée, quel personnage interpelle la famille ? Que veut-il ?

21 Qu'entame alors le narrateur ?

22 Résumez l'histoire du Breton.

23 Que craignent les filles ?

24 Comment le narrateur calme-t-il ses filles ? Quel engagement est pris par le père ?

25 Dans le tableau ci-dessous, placez tous les personnages du roman (certains personnages peuvent être dans deux colonnes à la fois). Identifiez ensuite les flashbacks et évaluez leur place dans le roman. Qu'en déduisez-vous ?

Zola. Ajoutez à ses réflexions la description des paysages en vous inspirant des premières pages du roman.

Chercher

27 Retrouvez les dates repères de l'histoire de l'Algérie, de sa colonisation à son indépendance.

Personnages appartenant au présent	Personnages appartenant au passé	Personnages faisant le lien entre le passé et le présent	Personnages faisant le lien entre la France et l'Algérie

Écrire

26 Imaginez le départ l'année suivante du trio familial pour l'Algérie, sur le *Ville-d'Alger*. Adoptez le point de vue de la plus jeune des filles,

Oral

28 Vous avez aimé ou non ce roman. Préparez un argumentaire en vue de défendre votre point de vue lors d'un débat en classe.

À SAVOIR

LE FLASHBACK

L'analepse ou le retour en arrière est un procédé qui rompt avec la continuité narrative en faisant intervenir une scène (ou l'évocation d'un personnage, comme le frère du narrateur, Malik, page 18) s'étant déroulée avant l'action en cours ou principale.

Il est utilisé pour apporter au lecteur des éléments nécessaires à la compréhension de l'histoire ou à des fins poétiques (insertion du poème, page 26).

Le flashback s'articule autour d'un élément pivot qui fait le lien entre le temps principal du récit et un instant antérieur (par exemple, la mère du narrateur lui demande s'il se souvient « des voyages fabuleux » qu'ils faisaient sur le *Ville-de-Marseille*, page 59).

POUR COMPRENDRE

Lire

Le père et le fils (pages 24 à 26 ; pages 38 à 39)

1 Quel souvenir a réveillé le visage ridé du vieux Breton ?

2 De la ligne 327 à la ligne 333, à quel registre (polémique, ironique, lyrique, humoristique) le passage appartient-il ?

3 De quelle partie de la vie du narrateur est-il question ? De quoi est-il l'héritier ? Après avoir identifié la métaphore, expliquez-la.

4 Quel est, dès lors, le statut du narrateur ? Dans quelle relation s'inscrit-il ?

5 Page 39, que relate le narrateur ? Identifiez les répétitions et expliquez leur sens. Caractérisez l'écriture des deux paragraphes.

Deux amis d'enfance (pages 50 à 53)

6 Pourquoi Yvon Le Guen est-il devenu l'ami du narrateur ? Comment l'a-t-il sauvé de « l'isolation humaine » ?

7 Quel point commun rapproche le narrateur de son ami Yvon Le Guen ?

8 De la ligne 70 à la ligne 81, identifiez le temps verbal employé majoritairement. Quelle est sa valeur ? Expliquez l'effet produit par ce changement de temps.

9 Page 53, identifiez les deux champs lexicaux dominants. Expliquez l'image produite.

Le frère (page 144)

10 Sur le point de partir, que redoutent Sofia et Zola ?

11 Lignes 158 à 163, à qui le narrateur adresse-t-il ses paroles ? Quel type de discours est employé ? Quel effet est produit ?

12 Quelle est la particularité du narrateur ? Pourquoi désigne-t-il Le Bihan par l'expression « ce frère » ?

13 Lignes 166 à 169, après avoir identifié les deux discours employés pour rapporter les paroles, vous expliquerez l'effet produit.

14 Par quelle image le narrateur exprime-t-il sa solidarité à l'égard de cet homme ?

Question de synthèse

15 En vous appuyant sur l'encadré « À savoir », retrouvez dans les trois extraits étudiés les différents statuts du narrateur. Justifiez votre réponse par un relevé précis.

Écrire

Écrit d'argumentation

16 « Mon pays, c'était là où je vivais » (page 39, ligne 99).

Dans une argumentation structurée, expliquez si, selon vous, le sentiment identitaire dépend du lieu où l'on vit. Illustrez votre argumentation d'exemples concrets.

de départ de la terre natale, nouvelle destination).

Oral

Chercher

17 Quelle est l'étymologie de l'expression « pied-noir » ? Racontez l'histoire de cette communauté (période historique, origine, motivation d'installation, activité professionnelle, cause

18 Réécrivez la page 145 à la première personne du singulier. Opérez les transformations grammaticales qui s'imposent et lisez avec expression l'histoire de Le Bihan. Donnez, ensuite, la valeur de ce « je » et justifiez votre choix.

À SAVOIR

LES DIFFÉRENTES VALEURS DU « JE » DANS LES ÉCRITS

Le « je » de l'énonciateur peut avoir différentes valeurs.

– Individuelle : c'est celle d'un individu unique qui raconte son histoire. Cette valeur se retrouve dans les récits de filiation.

– Collective : c'est celle d'un « nous » implicite qui revendique alors son appartenance à une communauté. Dans ce cas, il peut représenter le groupe et s'en faire le porte-parole. Cette valeur est souvent présente dans les œuvres engagées.

– Singulière : c'est celle d'un énonciateur singulier qui se démarque de sa communauté. Son histoire se distingue de celle des autres par des spécificités particulières. Ce « je » singulier est fréquent dans les poèmes de la négritude.

POUR COMPRENDRE

Lire

À qui parle le narrateur ? (pages 9 à 20)

1 Dans les premières pages du roman, que réclament Zola et Sofia ? Identifiez le type de discours employé, ainsi que le type de phrase.

2 Le narrateur répond-il aux questions de ses filles ? Pourquoi ? Justifiez votre réponse en observant l'énonciation.

Un père qui pleure (pages 22 à 24)

3 Quelle signification pouvez-vous donner à la mise en page des lignes 234 à 240 ?

4 Qu'est-ce qui est important pour la fillette et pour le père ?

5 Identifiez le discours direct et le discours indirect et observez leur répartition. Que traduit-elle des échanges entre Zola et le narrateur ?

6 Expliquez la phrase « Elle m'a tué » (ligne 260).

La faute à qui ? (pages 26 à 29)

7 Que reproche Zola à son père ?

8 Quelle explication donne-t-il ? Identifiez la figure de style contenue dans sa réponse et expliquez-la.

9 Quel regard le narrateur porte-t-il sur son propre père ? Pourquoi ?

10 Quel souvenir s'est superposé à leur voyage ? Quels sentiments ravive-t-il ? Pourquoi le narrateur n'explique-t-il rien à sa fille ?

Le temps des explications (pages 92-93)

11 De qui les filles du narrateur se font-elles les porte-parole ? Quelle faute, selon elles, le père a-t-il commise ?

12 Pourquoi le langage imagé du père pose-t-il problème dans les relations familiales ? Que révèle-t-il selon les fillettes ?

13 Comment, chez les Arabes, un homme doit-il se comporter (selon le narrateur) ? Que comprennent les filles du narrateur ?

Doute (pages 112 à 113)

14 Pourquoi le narrateur doute-t-il de ses capacités paternelles ?

L'intruse (pages 125 à 128)

15 Quelles sont les réactions de Zola face à l'écuyère ? Justifiez votre réponse par un relevé précis. Que révèlent-elles des sentiments de la fillette ?

Finalement... (page 155)

16 Comment le narrateur arrive-t-il à calmer sa fille Zola ?

17 Pourquoi peut-on dire que ces vacances ont été cathartiques pour les membres de la famille ?

Écrire

Dissertation

18 Azouz Begag fait dire au narrateur : « Chez les Arabes, on ne pleure pas dans le camp des hommes, même pas pendant les enterrements. Les femmes s'en occupent. » Pensez-vous, comme le personnage, que l'expression des émotions ne soit réservée qu'aux femmes ?

Oral

19 Afin de théâtraliser le texte des pages 92-93, transposez les paroles du discours indirect au discours direct. Puis, distribuez les personnages : Zola, Sofia, le père. Imaginez les effets scéniques (déplacements, mimiques, intonation). Préparez votre aire de jeu, apprenez votre texte et jouez.

Chercher

20 Renseignez-vous sur l'histoire tragique du personnage mythique de l'Antiquité, Œdipe. Quel est le dramaturge qui a mis en scène le récit, dans l'Antiquité ? Citez les titres de sa trilogie. Quels sont, au XXe siècle, les réactualisations théâtrales du mythe (titre de la pièce et auteur).

LE COMPLEXE D'ŒDIPE

C'est Sigmund Freud qui, le premier, en 1910, emprunte le mythe d'Œdipe à l'Antiquité grecque pour révéler l'existence d'une sexualité enfantine et désigner le phénomène psychique et hormonal touchant tous les enfants.

Le complexe d'Œdipe se traduit par le rejet inconscient et normal du parent du même sexe, rejet dû à une projection amoureuse sur le parent de sexe opposé. Dans le roman d'Azouz Begag, sur le bateau, Zola rejette brutalement la « rouquine » qui aborde son père. Le narrateur renonce ensuite à revoir l'écuyère après le rappel à l'ordre de sa cadette. Les fillettes imposent à leur père l'exclusivité dans leurs relations.

POUR COMPRENDRE

Lire

L'histoire de la guerre d'Algérie sous-tend ce roman. Elle surgit à plusieurs reprises dans l'évocation des souvenirs de certains personnages.

La mémoire du beau-père (pages 19-20)

1 De quelle manière le narrateur demande-t-il la main de sa future femme ? Comment réagit le père de cette dernière ? De la ligne 150 à 151, selon quel discours les paroles sont-elles rapportées ?

2 Quelle remarque du futur beau-père blesse le narrateur ? Comment ce dernier réagit-il ? Identifiez le discours utilisé.

3 Quelle partie de l'histoire hante le père de son ex-femme ?

4 Quel portrait est fait, implicitement, du beau-père ? Sur quel malentendu les relations du beau-père et du gendre reposent-elles ?

Les souvenirs du narrateur (pages 40 à 42)

5 Que reproche-t-on au narrateur lorsqu'il est enfant ? Quel portrait est fait de l'agresseur ? Identifiez la comparaison.

6 Caractérisez le ton employé par le narrateur pour raconter cet épisode. Relevez des expressions significatives.

7 Lignes 147 à 148 : « Ce parachutiste au blouson d'aviateur me haïssait par héritage [...] » Expliquez le sens de cette phrase. Que révèle cette dernière de l'état d'esprit de l'agresseur ?

La mémoire de la mère (page 47)

8 À quel événement de la guerre d'Algérie le narrateur fait-il référence ?

9 Qu'est-il arrivé à sa mère et à sa famille en mai 1945 à El Ouricia ? Qui sont les « Siligaines » ? Quelle ironie de l'histoire cet épisode souligne-t-il ?

10 De la ligne 286 à la ligne 296, identifiez la répétition d'un verbe.

11 Lignes 291 à 293, identifiez la structure syntaxique de la phrase, ainsi que le mode employé dans la proposition principale. Que dévoilent ces faits de langue sur le personnage de la mère ?

La ville de Marseille : l'exil des parents (pages 59 à 61)

12 Quel épisode de son enfance le narrateur se remémore-t-il ?

13 De quoi la famille est-t-elle chargée ? Pourquoi ? Identifiez le procédé d'écriture employé et expliquez son effet dans le récit.

La ville d'Alger : le retour des pieds-noirs (pages 143 à 145)

14 À quelle communauté Le Bihan appartient-il ? Où est-il né ? Pourquoi a-t-il changé de nom ? Quels sont ses regrets ?

15 Relevez les informations qui retracent l'histoire des pieds-noirs en Algérie, après l'indépendance.

16 Quelle résolution Le Bihan a-t-il prise une fois embarqué sur le *Ville-d'Alger* ?

Chercher

17 Sur des sites Internet ou dans des livres d'histoire, cherchez et relevez les informations concernant les événements de Sétif au printemps 1945. Réalisez une chronologie des faits.

Écrire

Écrit d'imagination

18 Imaginez un dialogue entre le fils et le père. Ce dernier raconterait sa vie dans l'Algérie coloniale, son départ pour la France, et les raisons qui l'ont motivé.

À SAVOIR

L'HISTOIRE FRANCO-ALGÉRIENNE

En 1830, débute la conquête militaire française en Algérie. Jusqu'en 1872, la guerre fait disparaître un tiers de la population algérienne. La reddition de l'émir Abd el-Kader en 1847 marque la fin de la résistance des algériens. À partir de 1848, les terres conquises par l'armée deviennent des départements français. Dès lors, l'État favorise l'installation des Européens (Allemands, Suisses, Maltais, Espagnols et Français, et les populations musulmane et juive deviennent des sujets français soumis au régime du Code de l'indigénat. Les colons détiennent alors 90 % des meilleures terres agricoles dans les régions d'Alger, de Tiaret, d'Oran, etc.). Pour les uns, la guerre débute en 1945 après les massacres de Sétif, pour les autres, en 1954 après une série d'attentats perpétrés en Algérie contre des Français. Également appelée « guerre d'indépendance », elle oppose l'État français aux indépendandistes algériens, principalement réunis au sein du Front de libération nationale. Le conflit dure sept ans et provoque la chute de la IVᵉ République. Les accords d'Évian, signés le 18 mars 1962, mettent officiellement fin à sept années et cinq mois de guerre et trente deux ans de colonisation. L'Algérie obtient son indépendance le 5 juillet 1962 à l'issue du référendum d'autodétermination.

Lire

L'expression de la mélancolie (page 26)

1 Que tente de faire le narrateur avec son père ? À quoi est-il confronté ?

2 Expliquez l'image contenue dans cette phrase, après avoir identifié la figure de style : « [...] j'avais eu le temps de voir qu'en lui, la mélancolie silencieuse avait fait un pacte pour laisser la chance à mon bonheur. »

3 Qu'évoque la mise en page des lignes 327 à 333 ? Identifiez les deux phrases. Qu'apporte cette présentation au texte ? Quels vers peuvent être associés ? Pourquoi ? Certains verbes sont conjugués au présent de l'indicatif. Relevez-les et indiquez leur valeur. Expliquez le sens de ces vers.

4 Quel est le registre (épique, lyrique, polémique) de ce passage ? Justifiez votre réponse.

L'expression du bonheur (page 83)

5 Relevez les trois champs lexicaux principaux. Quel élément est personnifié ? Identifiez un procédé sonore dominant dans la première phrase. Quel rôle joue-t-il ?

6 Tour à tour, les sujets grammaticaux des phrases changent. Identifiez-les et expliquez l'effet produit par ce procédé syntaxique.

7 Relevez les verbes et indiquez leur temps et leur valeur. Que révèlent-ils du narrateur et du paysage ?

8 Identifiez la figure de style dans les deux dernières phrases et expliquez-la.

9 Expliquez pourquoi les termes « ici » et « là-bas » sont en italique.

Le tableau de l'Algérie (pages 139 et 140)

10 De la ligne 64 à la ligne 100, identifiez l'organisation interne du texte après avoir observé le début des paragraphes. De la ligne 64 à la ligne 76, combien y a-t-il de phrases ? Quel est le point de vue adopté ?

11 Lignes 77 à 82, quel est le procédé stylistique utilisé pour décrire la rue ? Quelle impression ce procédé contribue-t-il à provoquer ?

12 Réalisez l'analyse logique de la phrase lignes 88 à 93. Quel effet cette construction produit-elle ? Que décrit ce paragraphe ?

13 Quelle ambiance se dégage de ce passage ? Justifiez votre réponse.

14 Au regard des éléments de réponse précédemment notés, caractérisez le style de l'auteur et justifiez votre réponse.

Recherche

15 Cherchez, sur des sites Internet ou dans un dictionnaire des noms propres ou une encyclopédie, des informations sur le mythe d'Orphée (période, auteurs, histoire, sens du mythe). De nombreuses représentations picturales ont été réalisées. Retrouvez les principaux tableaux et leurs auteurs.

Écrire

16 Vous écrirez, dans le cadre d'un journal intime, un texte en prose, à la première personne, exprimant le regret de l'enfance qui s'éloigne. Préparez tout d'abord le champ lexical de l'enfance et une liste de synonymes du verbe « regretter ». Puis, commencez votre texte par l'évocation d'un souvenir heureux et précis et procédez par association d'idées. Veillez à la musicalité de votre texte en intégrant des anaphores, des répétions, des assonances, des allitérations.

Oral

17 Préparez la lecture du texte page 83 : en adoptant un code couleur, surlignez les points, les virgules, les points d'exclamation, d'interrogation, de suspension, ainsi que les anaphores, les assonances et les allitérations. Puis, lisez en mettant le ton, donnez du souffle au texte afin d'en faire entendre le sens.

À SAVOIR

LE LYRISME

La poésie lyrique doit son nom à la lyre qui, dans l'Antiquité, accompagnait ses chants. Le registre lyrique désigne l'expression des sentiments et des émotions du locuteur. C'est pourquoi la première personne du singulier est souvent privilégiée.

Il se caractérise par des procédés d'écriture tels que :
– les figures de style (la métaphore, la comparaison, la personnification, l'oxymore) ;
– les effets de musicalité provoqués par les anaphores, les assonances, les allitérations ;
– un rythme cadencé produit par la ponctuation ;
– un lexique recherché.

Lire

Questions d'identité

1 (Pages 12 et 13) Pourquoi le narrateur ne veut-il pas emmener ses filles en Algérie ? Quels sentiments exprime-t-il à l'égard du « pays originel » ?

2 (Page 20) Quelle est la position du narrateur par rapport à la guerre d'Algérie ? Relevez un mot révélateur de son point de vue.

3 (Page 29) Quels sont ses doutes et comment les expriment-ils ?

4 (Pages 39 et 40) Qu'affirme-t-il concernant son identité ?

Un pont entre les deux rives de la Méditerranée

5 (Page 139) Expliquez le sens de ces deux phrases : « On est sur un même bateau, moi le *Ville-de-Marseille* et lui le *Ville-d'Alger*. Moi d'ici, lui de là-bas. » Quel paradoxe révèlent-elles ?

6 (Page 144, ligne 166) Analysez la syntaxe de cette phrase. Qu'introduit la conjonction de coordination « mais » ?

7 (Page 151) Pourquoi Le Bihan est-il néanmoins considéré comme un frère ? Lequel, du narrateur ou du personnage du Breton, se sent étranger en France ? Justifiez votre réponse.

8 (Page 147) Alors que Le Bihan débarquait à Marseille en 1962, quel voyage le narrateur effectuait-il en 1964 ?

9 (Page 144) Pourquoi le narrateur peut-il dire : « Je le laisse revivre son pays [...] » ?

La terre de l'enfance

10 (Pages 144 à 150) Quelle souffrance Le Bihan exprime-t-il ? Relevez son champ lexical. À quels autres personnages pouvez-vous l'associer ? Justifiez votre réponse.

11 (Page 157) Le narrateur considère Le Bihan comme un « Algérien », pourquoi ?

Le message du roman

12 En vous aidant des étapes 1, 2 et 4, résumez le parcours des personnages du roman : le narrateur, ses parents, ses filles, Yvon Le Guen et Le Bihan.

13 Finalement, au regard de la vie de ces personnages, quel est, selon vous, le message implicite de ces histoires ? Quel rôle jouent respectivement Zola, Sofia et Le Bihan dans la problématique du narrateur ?

14 À la fin du roman, que décident le narrateur et ses filles ? Sur quelle note (optimiste ou pessimiste) le récit se termine-t-il ? Justifiez votre réponse.

POUR COMPRENDRE

Écrire

15 Résumez, en une dizaine de lignes, l'histoire du roman (lieu, personnages présents, actions, dénouement). Dans un deuxième temps, évoquez les flash-backs en vous appuyant sur le tableau de l'étape 1, puis formulez les enjeux de l'œuvre (message, arguments invoqués).

Chercher

16 Remontez dans la généalogie de votre famille et recherchez l'origine de votre nom de famille, ainsi que le pays, la région, la ville, le village d'où vos ancêtres sont originaires. Retracez leur parcours, s'ils ont été amenés à quitter leur pays ou leur région d'origine.

Oral

17 Dans le cadre d'un débat à l'Assemblée nationale, rédigez un discours argumenté (valeurs, convictions, références historiques) qui défend le droit du sol. Pour ce faire, aidez-vous de l'étape 4 et prévoyez des effets rhétoriques (interpellation, questions rhétoriques, répétitions significatives) pour capter l'attention de votre auditoire.

À SAVOIR

L'HISTOIRE DES PIEDS-NOIRS

À partir de 1848, les espaces conquis par l'armée en Algérie deviennent des départements français. Dès lors, l'État français facilite l'installation des colons européens en Algérie. S'installent principalement des Français, surtout des Alsaciens et des Lorrains (opposants au coup d'État du 2 décembre 1851 déportés ou exilés après la Commune en 1871), des Suisses, des Allemands, des Espagnols (fuyant la guerre d'Espagne en 1936), ou encore des Maltais. Les étrangers, qui représentaient 49 % des Européens en 1889, sont naturalisés massivement à la suite du décret Crémieux en 1870, puis avec la loi du 26 juin 1889. Ils sont 3 478 en 1833, 304 592 en 1911 et 1 021 047 en 1960. Ils détiennent 90 % des meilleures terres agricoles dans les régions d'Alger, de Tiaret ou encore d'Oran.
Après la signature des accords d'Évian, en mars 1962, qui mettent fin à une guerre d'indépendance qui dura sept ans, 800 000 pieds-noirs quittent l'Algérie. Cette population, qui se sent trahie et abandonnée par l'État français, se réfugie dans le sud-est de la France, en Corse, en Espagne et au Canada. Néanmoins, 200 000 pieds-noirs demeureront en Algérie.

L'EXIL

Quitter sa terre natale de gré ou de force, laisser derrière soi tout un monde, partir pour un ailleurs inconnu plein de promesses, traverser les mers et les océans pour sa famille ou sa propre survie sont des actes qui provoquent toujours la naissance d'une mélancolie. L'écriture de l'exil, en mêlant l'expression des regrets, d'une espérance, d'une douleur, de façon lyrique polémique ou encore épique, est souvent cathartique pour son auteur. De plus, elle offre une réflexion d'ordre universel sur la condition humaine.

Andrée Chedid (1920-2011)
L'Enfant multiple, Andrée Chedid, Flammarion, 1989

Andrée Chedid s'est attachée à questionner les hommes et leur rapport au monde. Dans son roman intitulé *L'Enfant multiple* paru en 1989, l'écrivaine dénonce la violence et l'atrocité de la guerre civile de 1975 au Liban. Le personnage principal, Omar-Jo, enfant de la guerre envoyé en France par son grand-père après la perte de ses parents et d'un bras dans un attentat, connaît très jeune les douleurs de l'absence et de l'exil. Pris en charge par un forain, Maxime, ami de son grand-père, il fait revivre les souvenirs de sa ville, Beyrouth, lors de numéros improvisés. Le divertissement se transforme alors en rituel cathartique où l'émotion des paroles de l'enfant qui incarne Beyrouth meurtrie par les luttes fratricides provoque la stupeur des spectateurs.

L'enfant multiple n'était plus là pour divertir. Il était là aussi pour évoquer d'autres images. Toutes ces douloureuses images qui peuplent le monde.

Mené par sa voix, Omar-Jo évoque sa ville récemment quittée. Elle s'insinue dans ses muscles, s'infiltre dans les battements du cœur, freine le voyage du sang. Il la voit, il la touche, cette cité lointaine. Il la compare à celle-ci, où l'on peut, librement, aller, venir, respirer ! Celle-ci, déjà sienne, déjà tendrement aimée.

Ici, les arbres escortent les avenues, entourent les places. De robustes bâtiments font revivre les siècles disparus, d'autres préfigurent l'avenir. Une population diversifiée flâne ou se hâte. Malgré problèmes et soucis, ils vivent en paix. En paix !

Là-bas les îlots en ruine se multiplient, des arbres déracinés pourrissent au fond de crevasses, les murs sont criblés de balles, les voitures éclatent, les immeubles s'écroulent. D'un côté comme de l'autre de cette cité en miettes, on brade les humains !

Omar-Jo se déchaîne, ses paroles flambent. Omar-Jo ne joue plus. Il contemple le monde, et ce qu'il en sait déjà ! Ses appels s'amplifient, il ne parle pas seulement pour les siens. Tous les malheurs de la terre se ruent sur ce Manège.

Tout s'est immobilisé. Les chevaux ont terminé leur ronde. Le public écoute, pétrifié.

Fatou Diome (1968)

Le Ventre de l'Atlantique, Fatou Diome, Éditions Anne Carrière, 2003

Fatou Diome est une écrivaine sénégalaise, née en 1968 dans l'île de Niodior, au Sénégal. Elle quitte son village natal pour poursuivre ses études, notamment à Dakar. Elle quitte

L'exil

ensuite son pays pour suivre son époux en France, une expérience difficile dont elle s'inspire pour écrire son premier roman, *Le Ventre de l'Atlantique*. Avec humour et lucidité, elle raconte les périples, les regrets et les souffrances de l'exil.

Voilà bientôt dix ans que j'ai quitté l'ombre des cocotiers. Heurtant le bitume, mes pieds emprisonnés se souviennent de leur liberté d'antan, de la caresse du sable chaud, de la morsure des coquillages et des quelques piqûres d'épines qui ne faisaient que rappeler la présence de la vie jusqu'aux extrémités oubliées du corps. Les pieds modelés, marqués par la terre africaine, je foule le sol européen. Un pas après l'autre, c'est toujours le même geste effectué par tous les humains, sur toute la planète. Pourtant, je sais que ma marche occidentale n'a rien à voir avec celle qui me faisait découvrir les ruelles, les plages, les sentiers et les champs de ma terre natale. Partout, on marche, mais jamais vers le même horizon. En Afrique, je suivais le sillage du destin, fait de hasard et d'un espoir infini. En Europe, je marche dans le long tunnel de la performance qui conduit à des objectifs bien définis. Ici, point de hasard, chaque pas mène vers un résultat escompté ; l'espoir se mesure au degré de combativité. Ambiance Technicolor, on marche autrement, vers un destin intériorisé, qu'on se fixe malgré soi, sans jamais s'en rendre compte, car on se trouve enrôlé dans la meute moderne, happé par le rouleau compresseur social prompt à écraser tous ceux qui s'avisent de s'arrêter sur la bande d'arrêt d'urgence. Alors, dans le gris ou sous un soleil inattendu, j'avance sous le ciel d'Europe en comptant mes pas et les petits mètres de rêve franchis. Mais combien de kilomètres, de journées de labeur, de nuits d'insomnie me séparent encore d'une hypothétique réussite qui, pourtant, va tellement de soi pour les miens, dès l'instant que je leur ai annoncé mon départ pour la France ? J'avance, les pas lourds de leurs rêves, la tête remplie des miens. J'avance, et je ne connais pas ma destination. J'ignore sur quel mât on hisse le drapeau de la victoire, j'ignore également les grandes eaux capables de laver l'affront de l'échec. Pote-pote, ne dormez pas, c'est ma tête qui bouillonne ! Qu'on me passe du bois ! Ce feu doit se nourrir. L'écriture est ma marmite de sorcière, la nuit je mijote des rêves trop durs à cuire.

Fred Paronuzzi (1967)

Un cargo pour Berlin, Fred Paronuzzi, Éditions Thierry Magnier, 2011

Dans *Un cargo pour Berlin*, Fred Paronuzzi raconte l'histoire de deux jeunes Maghrébins qui vont tout faire pour quitter leur pays. Ces personnages représentent les « harragas », les « brûleurs », c'est-à-dire ceux qui ont brûlé leurs papiers pour passer le détroit de Gilbraltar.

Nour est une très bonne élève, mais elle se laisse séduire par le neveu de sa patronne. Pour échapper au mariage forcé avec un vieil homme, elle est contrainte de fuir et rêve d'atteindre Berlin. Tariq, un compagnon d'infortune, tente lui d'échapper à la misère et à la violence de son père. L'exil est pour l'un et l'autre une question de survie. Il est chargé d'espoir.

Tous les prénoms ont-ils un sens ?

Lui, il se nomme Tariq, « étoile du matin ». Et on peut y voir une promesse. Un signe. Une direction.

Ou même ne rien y voir du tout.

D'aussi loin que je m'en souvienne, Tariq a eu la tête en vadrouille sur les chemins menant ailleurs. Et le mot « partir » à la bouche.

L'exil

Partir.

Pas comme une invitation au voyage, non, plutôt une évasion. Partir parce qu'on se sait prisonnier d'une cage dont personne d'autre ne distingue les barreaux. Partir, car ici c'est sans espoir.

J'ai partagé ce sentiment, moi aussi.

Non pas que Saïda soit un endroit pire qu'un autre, mais quand l'horizon est un mur, il vous prend des envies d'autre part.

Partir jusqu'à l'obsession.

Pour la collection « Classiques & Contemporains », Azouz Begag a accepté de répondre aux questions de Nadia Ziane-Bruneel, professeur de lettres et auteur du présent appareil pédagogique.

Nadia Ziane-Bruneel : De quel personnage de *Salam Ouessant* vous sentez-vous personnellement le plus proche ?

Azouz Begag : Du narrateur ! Il me ressemble étrangement...

N. Z.-B. : Connaissez-vous l'île d'Ouessant ? Pourquoi avez-vous choisi ce lieu pour votre roman ?

A. B. : Oui, j'y suis allé en vacances pendant 15 jours, il y a quelques années, avec mes deux filles. Un ami Breton m'en avait parlé et je m'étais alors fait mon cinéma. Je l'avais fantasmée. En outre, j'ai toujours été attiré par les îles, à cause des romans que je lisais dans mon enfance, parce que ce sont des lieux qui n'appartiennent à personne, où l'on peut accoster et repartir à sa guise : bref, des lieux d'accueil. Il faut dire que *L'Odyssée* d'Homère en est parsemée.

N. Z.-B. : Vous avez souvent préféré le monologue intérieur au dialogue avec les personnages des filles, comme si elles réactivaient perpétuellement, malgré elles, votre mémoire ; pensez-vous que les enfants contraignent les parents à se questionner sur eux-mêmes ?

A. B. : C'est évident. À partir du moment où l'on a des enfants, on n'est plus seul au monde. On ne peut plus exister pour soi-même. Nos enfants, comme nos parents, nous renseignent sur le temps qui passe. Ils segmentent nos vies. *Salam Ouessant* parle de ce temps qui passe et dans lequel il nous faut trouver du sens. Comme on est en pleine mer, je dirais qu'il nous faut trouver « un cap », une boussole, pour faire la traversée (de l'existence).

N. Z.-B. : Les relations entre le narrateur (personnage principal) et ses filles sont parsemées de malentendus. Dans quelle mesure l'héritage culturel en est-il responsable ?

A. B. : Il faut dire que j'ai grandi dans une famille où l'univers des hommes et celui des femmes était totalement séparés. J'ai l'impression de n'avoir jamais vraiment connu ma mère et mes sœurs ! Cela explique les malentendus entre mes filles et moi-même, notamment à propos du divorce. Mais je suis conscient que toute ma vie, les femmes, à commencer par ma mère et mes sœurs, ont été indispensables à mon accomplissement personnel, à ma réussite sociale. Entre « ELLES » et moi, il n'y a plus de malentendus, je leur dois tout.

N. Z.-B. : Votre style est empreint d'un lyrisme certain. Est-ce une façon pour vous de rendre hommage à la poésie arabe ?

A. B. : Non, plutôt à la poésie de mon ami Breton Yvon Le Men, de Lannion, qui m'a beaucoup inspiré depuis quelques années. La poésie n'a pas d'origine ethnique ou religieuse. Tout comme les vents.

N. Z.-B. : Jusqu'où va la dimension cathartique de votre roman ?

A. B. : Je ne sais pas. Ce que je sais, c'est que lorsque je tiens un sujet au bout de mon stylo dont je sens que c'est « du lourd », alors je ne lâche plus. Je ferre sans arrêt pour le ramener à moi, en prenant garde à ne pas casser le fil, je redonne du mou, je ferre de nouveau… jusqu'à ce que je sois moi-même entraîné au fond de la mer. Alors là, je sais que je suis dans le vrai. Le juste. L'authentiquement humain.

N. Z.-B. : Vous faites dire à votre narrateur que « la guerre d'Algérie n'est pas sa guerre ». Pensez-vous qu'une génération suffise pour effacer les blessures de l'Histoire ?

A. B. : Les hommes et leurs sociétés de consommation ont une incroyable capacité à l'amnésie. Plongés dans la frénésie de la consommation, du bruit, de la cohue, ils oublient de plus en plus de s'arrêter, de faire une pause, d'écouter, de s'écouter… alors la guerre d'Algérie, comme toutes les autres, a vocation à se dissoudre dans les mémoires des uns et des autres. Je pense que son souvenir disparaîtra avec les acteurs français et algériens qui y ont participé. Je suis fasciné par les mouvements de l'histoire des hommes.

N. Z.-B. : Vous sentez-vous dépositaire d'une mémoire ? Celle-ci est-elle à l'origine du travail d'écriture ?

A. B. : Je pense que durant notre passage sur terre, il nous faut travailler la mémoire pour assurer le chaînon entre l'histoire de nos parents, la nôtre et celle que nous passerons en héritage à nos enfants. Une existence humaine n'a pas de sens sans mémoire. C'est comme un cerf-volant sans fil.

N. Z.-B. : Le narrateur révèle à ses filles qu'un ami Breton, Yvon Le Guen, lui a sauvé la vie. L'amitié est-elle importante pour vous ?

A. B. : L'amitié, c'est plus fort que l'amour. Au moins, parce qu'il n'y a pas de contrat. C'est un acte totalement libre. En cas de divorce, on ne passe pas devant le juge des Affaires Amicales ! C'est un acte de consentement mutuel d'une immense valeur et voilà pourquoi lorsqu'il est bafoué, il fait si mal.

N. Z.-B. : Je vous remercie d'avoir pris sur votre temps pour répondre à mes questions.

BIBLIOGRAPHIE DE L'AUTEUR

• **Romans et nouvelles**
– *Salam Ouessant*, Albin Michel, 2012
– *Dites-moi bonjour*, Fayard, 2009
– *Le Marteau pique-cœur*, Seuil, 2004 (prix Marcel Pagnol)
– *Clichés*, Cavalier Bleu, 2003
– *Ahmed de Bourgogne*, Seuil, 2001
– *Un train pour chez nous*, Thierry Magnier, 2001
– *Le Passeport*, Seuil, 2000
– *Tranches de vie*, Kleth Verlag, 1998
– *Dis Oualla !* Fayard, 1997
– *Zenzela*, Seuil, 1997, primé par le Prix européen de littérature enfantine
– *Les Chiens aussi*, Seuil, 1996
– *L'Ilet-aux-Vents*, Seuil, 1992
– *Écarts d'identité*, Seuil, 1990
– *Beni ou le Paradis privé*, Seuil, 1989
– *Le Gone du Chaâba*, Seuil, 1986, (prix Sorcières 1987) adapté au cinéma par Christophe Ruggia en 1997

• **Romans jeunesse**
– *Le Théorème de Mamadou*, Seuil, 2002
– *Quand on est mort, c'est pour toute la vie*, Gallimard, 1997 (prix du Livre-Hebdo – Prix France Télévision)
– *Mona et le bateau-livre*, Chardon Bleu, 1996
– *Ma maman est devenue une étoile*, La Joie de Lire, 1996
– *Le Temps des villages*, La Joie de Lire, 1993
– *Une semaine à Cap Maudit*, Seuil, 1993
– *Les Tireurs d'étoiles*, Seuil, 1992
– *Jordi et le rayon perdu*, La Joie de Lire, 1992
– *La Force du berger*, La Joie de Lire, 1992
– *Les Voleurs d'écritures*, Seuil, 1990 (adapté par le théâtre de Nanterre en 1994)

• **Scénarios**
– *Leçons coloniales* (BD), Delcourt, 2012
– *Camping à la ferme*, film de Jean-Pierre Sinapi, 2001
– *Le Clandestin*, téléfilm, 2001

– Consultant de Yamina Benguigui, *Mémoires d'immigrés, l'héritage maghrébin*, documentaire, 1998
– *La Famille Ramdam*, coscénario avec Farid Boudjellal, téléfilm, 1988

• **Essais et recherches universitaires**
– *Bouger la banlieue*, Elytis, 2012
– *C'est quand il y en a beaucoup... Nouveaux périls identitaires français*, Belin, 2011
– *La Guerre des moutons*, Fayard, 2008
– *Un mouton dans la baignoire*, Fayard, 2007
– *L'Intégration*, Cavalier Bleu, 2003
– *Du bon usage de la distance chez les sauvageons*, Seuil, 1995
– *Quartiers sensibles*, Seuil, 1994
– *La Révolte des lascars contre l'oubli à Vaulx-en-Velin*, Les Annales de la recherche urbaine, 1991
– *La Ville des autres. La Famille immigrée et l'espace urbain*, PUF, 1991
– *Voyage dans les quartiers chauds*, Les Temps Modernes, 1991
– *La Pauvreté comme terrain*, Métropolis, 1991
– *Rites sacrificiels des jeunes dans les quartiers en difficulté*, Les Annales de la recherche urbaine, 1991

SITES INTERNET
– Fr.wikipedia.org/wiki/Azouz_Begag
– www2.cndp.fr/TICE/Teledoc/dossiers/dossier_gone.htm
– ww.intercdi-cedis.org

Classiques & Contemporains

NOTES PERSONNELLES

NOTES PERSONNELLES

NOTES PERSONNELLES

NOTES PERSONNELLES

Couverture
Conception graphique : Marie-Astrid Bailly-Maître
Iconographie : Marcelino Truong

Intérieur
Conception graphique : Marie-Astrid Bailly-Maître
Édition : Béatrix Lot
Réalisation : Nord Compo, Villeneuve-d'Ascq

© **Éditions Albin Michel, 2012**
© **Éditions Magnard, 2013, pour la présentation,
les notes, les questions et l'après-texte.
Interview exclusive**

www.magnard.fr
www.classiquesetcontemporains.com

Achevé d'imprimer en juin 2013
par «La Tipografica Varese S.p.A.»
N° éditeur : 2013-0173
Dépôt légal : mai 2013

Certifié PEFC

Ce produit est issu
de forêts gérées
durablement et de
sources contrôlées

PEFC/18-31-264 www.pefc-france.org